KU-654-164

Le Renard et le Corbeau

Juliette Manet

Le Renard et le Corbeau

ÉDITIONS FRANCE LOISIRS

Édition du Club France Loisirs,
réalisée avec l'autorisation des Éditions Plon.

Éditions France Loisirs,
123, boulevard de Grenelle, Paris
www.franceloisirs.com

ISBN : 2-7441-5806-2

A mon mari,
A ma fille.

LE CORBEAU EST MORT

1

Ils suivaient les traces de pas, et çà et là à la surface de la neige de petites taches de sang pâlissaient. Parfois, ils s'arrêtaient pour écouter. Leurs respirations, étouffées par le froid et le silence, sifflaient. Un brouillard épais descendait, masquant la cime des arbres. Dans les hautes branches, pareille à une carapace brillante, la neige durcie en glace s'incrustait.

La piste sinuait entre les troncs des arbres et filait vers la vallée. La fille n'avait que quelques minutes d'avance sur eux. La course, l'excitation, la peur enflammaient leurs visages. Ils devaient l'arrêter avant qu'elle ne parvienne aux premières rues du village. Derrière eux, le brouillard gagnait du terrain. Les premiers flocons, poussés par le vent, tourbillonnaient.

Plus haut, il neigeait de nouveau. Si la tempête les gagnait de vitesse, ils n'auraient aucune chance de la retrouver. Ils avaient déjà perdu trop de temps. Ils forcèrent l'allure.

Quelques dizaines de mètres plus bas, la fille redoubla d'efforts. Elle n'entendait que le bruit de la neige qui crissait sous ses pieds nus, sa respiration haletante, et son cœur qui cognait ; un instinct de bête traquée l'avertissait qu'ils se rapprochaient. Les sapins, noyés dans une blancheur livide, défilaient comme des ombres.

La fille connaissait la forêt ; elle y venait depuis qu'elle était enfant. Elle dépassa un amas rocheux qui lui parut familier. Le froid et la pluie avaient érodé la pierre noire ; l'amas ressemblait à une sculpture à demi terminée ou à demi détruite ; selon l'angle, l'éboulement avait l'aspect d'une tête de chien ou de cheval.

Elle s'arrêta un instant, serrant ses bras autour d'elle. Elle était hors d'haleine. La douleur dans son ventre continuait de la lancer. Elle passa une main entre ses cuisses ; ses doigts étaient tachés de sang.

L'éboulis était assez grand pour l'abriter ; il lui suffirait de se faufiler entre deux blocs, dans un recoin. Entraînés par leur course, ils la dépasseraient. Une fois ses poursuivants devant elle, il lui suffirait pour leur échapper de faire un détour et de gagner la berge du lac.

Elle se crut sauvée. Elle se retourna et distingua ses propres traces dans la neige ; un pointillé qui serpentait entre les troncs. C'est alors qu'elle les vit. Ils ne cherchaient pas à se cacher ; deux silhouettes, rendues floues et vagues par le brouillard, et qui dévalaient la pente.

Affolée, elle reprit sa course. C'était une adolescente de quinze ans aux cheveux blonds, coupés à la garçonne. Elle n'avait pour tout vêtement qu'une chemisette en laine de couleur bleue dont plusieurs boutons avaient été arrachés.

L'orage découpait des zébrures dans la noirceur du ciel ; au loin, la tornade arrachait des feuilles aux arbres ; le jour avait la couleur de la nuit. Courbée, insensible au sol qui meurtrissait ses pieds nus, elle continuait. Des milliers de points noirs dansaient devant ses yeux. Elle suivait le sentier, voûte obscure qui plongeait vers la vallée, souillant ses traces de marques sanglantes. Affolé, un rongeur au pelage brillant coupa sa route et la fit trébucher avant de disparaître dans les buissons. Sans prévenir, la nausée creusa un abîme dans son estomac et elle s'effondra. A genoux, les mains à terre, elle endurait spasme après spasme ; ils montaient à intervalles réguliers, la secouant aussi fort que la cime des arbres dans le vent. Autour, des ombres s'agitaient ; des sons claquaient, lourds, sinistres. De la bile et du sang coulaient sur son menton.

Le tronc d'un arbre l'aida à se relever. Elle avait les paumes et les genoux écorchés. La joue collée à l'écorce humide et rêche, elle distingua la fin du passage qui s'élargissait, et la clairière ; le village n'était pas loin. Au-delà des conifères, des toits de tuile apparaissaient, faisant une tache ocre.

Ils n'oseraient pas la poursuivre dans les rues ; là, elle pourrait crier de toutes ses forces. Mais elle n'était plus sûre de pouvoir leur échapper, tel un animal pris dans les phares d'une voiture. Elle sentait ses jambes s'alourdir, comme si, à chaque foulée, la neige dans un mouvement de succion cherchait à la retenir. Ses muscles durcissaient ; une paralysie qu'elle n'avait connue que dans de mauvais rêves lui donnait l'illusion de ne plus avancer.

Peut-être cette poursuite n'était-elle qu'un cauchemar après tout. Elle allait se réveiller, couchée dans son lit, en sécurité sous les couvertures.

« Annette ! »

Ils l'appelaient. Ils cherchaient à la rassurer mais le ton menaçant trahissait la colère.

Elle avait franchi les limites de la raison. Elle était entrée dans un territoire où une terreur primaire emplissait son cerveau. Elle étouffa un cri. Personne ne l'entendrait à part ses poursuivants. Moins d'une demi-heure plus tôt, ils l'avaient violée, chacun son tour. Et battue. Parce qu'elle se défendait. Maintenant, ils étaient à ses trousses. Elle ne jeta même pas un coup d'œil par-dessus son épaule. La peur de les découvrir tout près l'en empêchait.

Elle sentait son cœur doubler de volume et sa gorge s'obstruer. L'air glacé lui brûlait les poumons. Elle n'arrivait plus à respirer. Un gémissement de douleur jaillit de ses lèvres. Elle s'était tordu la cheville sur une souche. De grands pans de brouillard tombèrent d'un coup et la neige l'enveloppa. Dans un effort désespéré, elle luttait pour échapper à ses assaillants. Une petite chance, c'est tout ce dont elle avait besoin. Juste une petite chance. Se perdre dans le brouillard qui s'épaississait rapidement. Soudain, elle bifurqua, cherchant à brouiller sa piste.

Elle était certaine qu'ils la tueraient. Ils n'avaient pas d'autre solution. Ils dissimuleraient son corps ; on était au début de l'hiver, et on ne la retrouverait qu'au printemps, si d'ici là elle ne servait pas de repas aux bêtes.

Une balade en forêt, avaient-ils proposé. Ce n'était pas la première fois qu'ils y allaient ensemble. Pourquoi se serait-elle méfiée ?

Elle avait compris leurs intentions quand l'un d'eux lui avait tripoté la poitrine. L'autre l'avait saisie par-derrière. Un poids l'avait clouée au sol, et ils lui avaient enfoncé la tête dans la neige.

Ils avaient mis en pièces ses vêtements. Ils haletaient au-dessus d'elle en s'excitant mutuellement. Elle était impuissante à se dégager. Elle avait bien essayé de les frapper mais un coup de poing lui avait coupé le souffle. Ils en avaient profité. Elle avait senti leurs mains glacées sur sa peau ; des mains sans douceur, dures, impatientes ; des mains qui faisaient mal, d'une méchanceté péniblement contenue. Elle se souvenait de ses hurlements de douleur et de surprise, jusqu'à ce que le dernier s'arrache enfin à sa prise. Elle distinguait leurs visages, leurs bouches réduites à un simple trait, leurs yeux méprisants et inquiets. Tout ça parce qu'elle leur avait fait confiance et qu'elle aimait la forêt. Ses membres étaient glacés et elle avait été prise d'un tremblement incontrôlable. Elle n'avait plus la force de pleurer. De temps à autre, un gémissement montait de sa gorge meurtrie. Ils ne pensaient pas qu'elle prendrait la fuite.

A présent, elle ne savait plus. Elle ne sentait plus rien. La pénombre l'entourait. Ses mâchoires claquaient comme celles d'un animal terrorisé. Elle fut prise d'un vertige ; ses jambes ne la portaient plus. Ses lèvres remuaient sans arrêt, prononçant des paroles incohérentes. Elle entendait des sons qu'elle ne pouvait identifier. Elle voyait les arbres s'enfuir, disparaître à reculons. La forêt n'était qu'une masse sombre qui s'effilochait dans une pâleur de glace. Derrière elle, l'un des poursuivants avait ramassé une branche. Lancée à la volée, la branche l'atteignit à la tête. Elle s'effondra sans un cri. Dans un sursaut, sa main se crispa sur une poignée de neige.

2

C'était un crépuscule de décembre, avant Noël. La nuit montait de la terre et plongeait les bois dans l'ombre. Les étoiles brillaient comme des glaçons dans un ciel pâle, et les bancs de brouillard qui erraient à la surface des marais donnaient un aspect fantomatique au paysage.

La lune s'était levée sur la Dombes, et les rapaces passaient au milieu des arbres avec des bruissements de soie froissée.

Relevant leurs lignes, les frères Revermont pataugeaient dans les fonds vaseux sur les bords de l'étang. Ils avaient du flair pour repérer les bons coins ; les coins où les brochets venaient en permanence, cherchant les eaux plus claires. Lucien, l'aîné, venait de tirer une de ses lignes. Il plongea l'épuisette, se saisit habilement du poisson, décrocha l'hameçon, et jeta sa prise dans un sac de jute suspendu à une petite chambre à air.

— Lulu ! Viens vite !

Lucien tourna la tête. Son frère faisait des gestes frénétiques pour attirer son attention. Il avait de l'eau jusqu'à la ceinture, alors que Christophe, son cadet de trois ans, se trouvait près de la berge. Tirant la bouée derrière lui, Lucien rejoignit son frère.

— T'as vu ça ! dit Christophe.

Il pointait le doigt en direction d'une souche à demi envasée qu'on distinguait dans un reflet de lune. Lucien regarda nerveusement son jeune frère ; à douze ans, Christophe était encore émotif. Ils braconnaient, et il n'était pas question de se faire prendre par le propriétaire de l'étang en ameutant le voisinage avec des cris.

— C'est qu'un arbre. Calme-toi, putain.

— Sur le côté ! Regarde sur le côté !

Lucien tendit la corde de la bouée à son frère et s'approcha. Il sortit une lampe de poche, et couvrant d'une main le faisceau, éclaira la souche. Une espèce de gros buisson était retenu par les branchages qui saillaient du tronc. Ça ressemblait à un amas de racines entrelacées ; la forme était hideuse.

— On dirait un cadavre, dit Christophe.

Lucien s'approcha. Il distinguait nettement les côtes. Il n'y avait que la partie supérieure, juste la cage thoracique ; une forme grotesque, immergée dans l'eau stagnante.

— Une biche ou un gros chien, déclara Lucien.

Il entreprit de dégager les restes. Des concrétions racornies et gluantes adhéraient encore aux os.

— Qu'est-ce qu'on en fait ? demanda Christophe.

— Rien. On continue à remonter les lignes.

— Tu crois pas que ce machin a pourri l'étang ?

Lucien haussa les épaules. Il tira péniblement la carcasse sur la berge et continua son inspection. Sous ses bottes en caoutchouc, chaque fois qu'il faisait un pas, il sentait l'aspiration de la vase.

La chair avait disparu sous l'action combinée de la putréfaction et des poissons. Probablement les poissons-chats ; mais les brochets et les carpes en avaient peut-être aussi mangé.

Il avait lu que des gens étaient tombés malades en mangeant des poissons pas frais. Son frère avait peut-être raison, après tout. Il emplit ses poumons d'un air humide et froid, essayant de respirer avec le plus de calme possible. D'habitude, les déchets se composaient de boîtes de conserve et de canettes de bière ; une fois, il avait repêché une chaussure d'homme sans lacet. Là, c'était la première fois qu'ils trouvaient une charogne — et de cette taille ! Du coup, leur expédition nocturne prenait une autre tournure. Il regarda en direction du hameau. Rien ne bougeait. Les quelques lumières, entourées d'un halo, clignotaient. Un oiseau passa tout près, poussant un cri aigre. Ils entendirent le battement fluide de ses ailes. La lune continuait à traverser le ciel. Une brise soutenue soufflait de l'ouest ; les joncs frissonnaient d'un battement doux, presque mélancolique. Lucien éclaira la surface de l'étang. De petites vagues venaient mourir sur la berge. L'eau qu'il avait remuée était trouble. Il tendit la lampe de poche à son frère, prit l'épuisette qu'il se mit à manier comme une faux, plongeant l'instrument dans la vase, raclant le fond avant de tout remonter.

— Qu'est-ce que tu fais ? chuchota Christophe.

— Je cherche le reste.

Il s'avança, continuant à fouiller autour de la souche. Cette fois-ci, dans l'épuisette, au lieu de l'habituel limon, il y avait quelque chose de brillant qui luisait au milieu d'une touffe d'algues mortes. Un morceau de métal ! Ça n'avait guère de rapport avec la carcasse. Il monta sur la berge et secoua l'épuisette. Il ne s'attendait pas vraiment à trouver quelque chose. Il se baissa. Christophe le rejoignit. Un voile avait recouvert les étoiles. Les grenouilles coassaient, troublant le silence et la vaste étendue noire de l'étang.

— Une médaille, dit Christophe.

Lucien prit la lampe des mains de son frère et rapprocha le faisceau. Ça ressemblait à un médaillon ; le métal était recouvert en partie d'une couche verte, translucide.

Les deux frères restèrent là, fascinés par le faible éclat. Puis, Christophe tendit la main et dégagea le médaillon de la touffe d'algues.

— Regarde, on dirait qu'il y a un nom inscrit.

— Donne !

Christophe ne voulait pas lâcher le médaillon. Il le frotta avec précaution contre sa manche.

— Il est à moi, dit-il à son frère. C'est moi aussi qui ai trouvé la carcasse.

Il continua à astiquer le métal, tandis que Lucien s'efforçait de contenir son énervement. Finalement, il se décida à placer le médaillon sous la lampe.

Les deux frères se penchèrent. Sur la plaque, on lisait distinctement : *Lénore, 14 septembre 1970.*

— Qu'est-ce qu'on va en faire ? murmura Lucien.

Christophe le regarda. Quand il s'agissait de ses découvertes, Lucien était moins scrupuleux. Christophe mit le médaillon dans sa poche et se releva.

— C'est à moi, dit-il simplement.

3

Fabienne Thomas-Blanchet passa une main fébrile dans ses cheveux bruns. Elle avait la bouche pâteuse et se sentait moite. La veille, elle avait pris trop de somnifères et elle était en retard sur son programme de la matinée. Elle s'appuya au lavabo, contempla son image dans le miroir. Elle trouvait ses joues trop rondes, ce qui modifiait son expression d'une façon subtile mais essentielle, lui donnant un air sympathique.

A vingt-huit ans, elle n'avait pas de mari, pas d'enfants, pas d'attaches. C'était une jeune femme indépendante qui payait régulièrement son loyer mais dont le caractère comportait un certain mystère même à ses propres yeux. Elle n'avait pas beaucoup d'amis sans savoir vraiment si c'était par choix ou dû aux circonstances.

Son travail n'avait rien de spectaculaire ; il consistait à développer chez les jeunes le goût de la lecture dans une sous-préfecture du Jura connue pour sa sauce aux écrevisses.

Elle prit une douche et reparut dans sa chambre prête à relever le défi de la journée. Elle ouvrit les volets. Au-delà de la courte allée de gravier, elle voyait à une centaine de mètres la route qui ceinturait le lac. D'un bleu franc, sa surface scintillait sous la lumière de juin, et il y avait ce matin une régate organisée par l'école de voile.

En entendant les deux coups de sonnette, Fabienne sursauta. Elle n'avait pas encore eu le temps de boire un café et devrait traîner cette lourdeur dans les paupières pendant un bon moment. Elle enfila une veste en lin beige qui avait connu des jours meilleurs, enleva un cheveu sur sa manche, prit son sac et sortit.

Une voiture garée en double file l'attendait. Toussainte Leca, professeur de lettres, démarra en trombe.

— Nous sommes en retard, dit-elle en regardant sa montre. Le train arrive à midi pile.

Toussainte était vêtue d'une jupe moulante et d'un châle Valentino, bleu Michelangelo, noué sur un chemisier crème. Ses lèvres étaient rehaussées d'un trait de crayon sombre ; c'était une femme agréable d'une quarantaine d'années, prompte à rire aux plaisanteries, avec un air de bourgeoise de province à la fois réservé et trouble qui plaisait aux hommes mariés.

Elle fila vers l'A40 et prit la direction de Lyon.

— Vous savez que je n'ai pas du tout aimé son livre, dit Toussainte. J'ai adoré le Delcour.

Fabienne hocha la tête. La voiture sentait le cuir neuf.

— Je sais, répondit-elle. Pour un écrivain, il est plutôt beau garçon.

Toussainte haussa les épaules. Le sexe et le physique de l'auteur n'avaient rien à voir avec ses préférences en littérature.

Fabienne ouvrit son sac et en sortit un livre. Sur la quatrième de couverture, figurait la photo de l'auteur : Hélène Wang, trente-six ans. Toussainte s'était mise à zigzaguer sur l'autoroute. Fabienne ferma les yeux et appuya sa tête au dossier.

C'était le quatrième auteur que la ville recevait. Chaque automne, la médiathèque dont elle s'occupait et le lycée lançaient un prix qui permettait aux lecteurs de la ville de découvrir des écrivains contemporains. Cette année, parmi les livres choisis par le comité de sélection, les jeunes avaient élu celui d'Hélène Wang : l'histoire d'une jeune Chinoise prise dans une macabre intrigue à Shanghai. Un ouvrage que Toussainte Leca avait qualifié de malsain.

Pour Fabienne, les livres baignaient dans une lumière indistincte, une lumière qui évoquait de longues heures silencieuses, et le fil de ces vies qui s'écoulaient. Elle avait beaucoup aimé le roman.

Presque tout le monde avait entendu parler d'Hélène Wang, et le succès de son livre avait attiré toutes sortes de commentaires séduisants mais contradictoires.

Dans le TGV qui la menait de Paris à Lyon, Hélène Wang était occupée à lire l'avenir. Elle regardait d'un air méfiant le jeu de tarots chinois étalé devant elle, comme si elle était seule à voir une chose qui ne pouvait être vue par n'importe qui. Son visage avait une expression de gravité. Depuis son enfance, les cartes évoquaient pour elle les signes du destin. Bien sûr, le plus dur était de trouver la clef d'interprétation et d'identifier la chronologie des événements. Après toutes ces années, elle arrivait à percevoir des bribes d'une réalité qui, bien des fois, s'était avérée déprimante. Elle se trouvait un don à ne pressentir que les catastrophes.

Elle ramassa les cartes et les rangea dans son sac. Elle ne voulait garder de ce voyage que des souvenirs agréables ; avec ce jeu qu'elle venait de tirer, elle n'arrivait plus à se détendre totalement. Elle rejeta ses cheveux en arrière et les coinça derrière ses oreilles. Ces deux jours à Nantua semblaient le parfait intermède ; maintenant, les rayons du soleil qui pénétraient par les fenêtres avaient moins d'éclat. A côté d'elle, un homme corpulent pianotait sur le clavier d'un ordinateur portable. Elle essaya de lire ce qui s'inscrivait à l'écran mais l'homme s'en aperçut et changea de place.

Elle songea à Léo. Il l'avait appelée en jurant qu'il était prêt à l'épouser. Elle trouvait ça maladroit et s'interrogeait sur la sincérité d'une telle proposition. Léo n'était même pas divorcé, enfin pas officiellement. Elle se trouvait tout à fait capable d'envisager la vie sans lui, d'errer à sa guise, avec en tête le sujet de ses prochains livres.

Le mariage ne lui avait jamais semblé important. Elle aurait été bien en peine de dire pourquoi l'idée d'avoir une famille lui faisait peur.

« *L'avidité du morbide à tout prix ; une overdose de noirceur* », avaient écrit certains critiques au sujet de ses livres.

C'était en partie vrai. Cette noirceur l'affectait au plus profond d'elle-même, tout comme l'irritait le caractère hâtif du jugement. Si elle était là aujourd'hui, c'était grâce à une suite de miracles. Hélène était une enfant adoptée ; un nourrisson sauvé du naufrage d'un boat people. Tout ce qu'elle savait, c'était qu'on l'avait retrouvée sur quelques planches.

Elle avait cru savoir qui elle était. En ce temps-là, elle imaginait la question réglée ; mais peu à peu, les principes de son monde d'adoption s'étaient délités. Il y avait en elle une composante qu'elle était incapable d'identifier. Si elle écrivait, c'était à cause de ça. Une sorte de psychothérapie, s'était-elle dit pour se rassurer. Elle pensa à ses parents d'adoption ; ils avaient pris leur retraite à Gordes, où ils avaient acheté une maison. Hélène n'avait manqué ni d'amour ni de confort. Une fêlure s'était ouverte lors de son premier voyage en Chine ; elle avait changé.

Hélène regarda par la fenêtre. Les prairies brillaient comme du velours vert vif. Un homme entra dans le compartiment. Il tripotait nerveusement sa cravate. Il se laissa tomber dans un fauteuil et alluma une cigarette.

On approchait de Lyon. Dans le lointain, un téléphone mobile se mit à sonner. L'homme en face d'elle l'interpella.

— Ça sonne dans votre sac, fit-il.

Surprise, elle tourna la tête. Léo revenait peut-être à la charge, et elle fut tentée d'ignorer l'appel. Elle pensa aux gens qui l'attendaient à Nantua ; peut-être essayaient-ils de la joindre.

— Allô, fit-elle d'une voix prudente.

La communication était mauvaise. Il y eut des crachotements, puis la ligne devint silencieuse et quelqu'un prononça les mots suivants avant de raccrocher :

— Le corbeau est mort, madame Wang.

Elle vérifia si le numéro d'appel s'affichait : il n'y avait rien. Bizarre, pensa-t-elle. Et cette voix ? Elle n'aurait pas su dire si c'était celle d'un homme, d'une femme ou d'un enfant ; on aurait dit celle d'un ventriloque. Qui pouvait se livrer à ce genre de plaisanterie stupide ?

Le train avait ralenti. L'homme assis en face était incapable de rester tranquille plus de quelques secondes ; il se tortillait sur son siège, les doigts fébriles, secoué de tics.

Dans le compartiment, des voyageurs se levaient et se dirigeaient vers les portes. Son téléphone sonna de nouveau. Elle attendit la troisième sonnerie pour prendre l'appel.

— Hélène Wang ?

— Oui.

C'était une voix de femme ; énergique, plutôt gaie.

— Bonjour, c'est Fabienne Thomas-Blanchet, de la médiathèque. Je suis désolée, mais nous allons avoir quelques minutes de retard. Pouvez-vous nous attendre sur le quai ?

— Oui, bien sûr.

— Merci. A tout de suite alors.

— A tout de suite.

Cette fois, le numéro d'appel s'était affiché.

*

Hélène observait les deux femmes qui venaient dans sa direction. Elle songeait à ce qu'elle avait entrevu dans les cartes ; le souvenir se désagrégeait, ne laissant que des détails absurdes.

Sans même se rendre compte de ce qu'elle faisait, elle prit le bouquet de fleurs qu'on lui tendait. Elle vit l'expression de la jeune femme en face d'elle et sourit machinalement.

— Ça ne va pas ?

— Si, si, ça va, s'entendit-elle répondre. Excusez-moi. J'étais à des kilomètres d'ici. Merci pour les fleurs.

L'une des deux, la plus âgée, la détaillait d'un œil critique avec un air qui se voulait nonchalant. Ses lèvres écarlates légèrement entrouvertes, elle s'était habillée sans laisser traîner une note de négligence ; même le sac Hermès y était. L'autre, celle qui lui avait remis le bouquet, avait un regard empreint de curiosité. Son pantalon « baggy » tire-bouchonnait sur de vieilles espadrilles à semelles de corde.

Hélène les suivit jusqu'à la voiture. Il faisait chaud. Le ciel avait cette profondeur bleutée si propre à l'été, et les abords de la gare étaient envahis de jeunes gens avec des sacs à dos.

A cause des travaux et des embouteillages, elles durent attendre avant de pouvoir se frayer un chemin vers l'autoroute. Fabienne donna à Hélène son programme. Elle avait de son propre chef éliminé les visites officielles, et Hélène lui en sut gré. On était au milieu des épreuves du baccalauréat et le débat qui devait avoir lieu dans la salle des fêtes était annulé. Un entretien était prévu au début de l'après-midi avec les élèves, dans la salle du conseil de classes du lycée.

Toussainte Leca semblait d'une politesse extrême, comme si cette belle Chinoise vêtue d'un pull en coton et d'un pantalon noir, et qui paraissait perpétuellement ailleurs, venait d'un pays aux mœurs excentriques. Il fallait faire très attention pour ne pas la choquer ou l'offenser. Hélène, elle, restait toujours aussi peu sûre de son apparence. Elle se laissa aller contre le dossier. Ses hautes pommettes, son nez droit, ses sourcils arqués, et sa taille qui surprenait pour une Chinoise lui donnaient un air mystérieux et provocant.

Au loin, des rangées d'arbres en fleurs frissonnaient, tel un parterre d'ombrelles.

— C'est vous qui m'avez téléphoné tout à l'heure ? demanda Hélène à Fabienne.

Cette dernière se retourna. Elle semblait surprise. Elle se mordait la lèvre ; un geste de nervosité, ou peut-être aussi n'importe quoi.

— Je veux dire : avant que nous nous parlions. Quelqu'un m'a appelée mais la communication a été coupée.

Fabienne répondit que non. Quant à Toussainte, elle n'avait pas de portable.

L'étrangeté du message continuait d'obséder Hélène. Il ne s'agissait pas d'une plaisanterie ; elle n'aurait eu aucun sens. Pourquoi lui avait-on donné du « madame Wang » ? Wang était un nom de plume ; un nom qui la rattachait à ses origines. Aucun de ses amis ne l'appelait « Madame Wang », en tout cas pas ceux qui avaient son numéro de portable.

Elles avaient quitté l'autoroute. Bientôt, elles longèrent la berge du lac éclaboussée de soleil. La brise agitait les bouleaux, soulevant le dessous pâle des feuilles ; les eaux se hérissaient en vaguelettes.

Les bords du lac prenaient des tons d'or. Une voie de chemin de fer abandonnée longeait l'une des rives. Le lac était cerné de pentes couvertes de sapins. Le village de Nantua baignait dans la quiétude d'un début d'après-midi.

Elles se garèrent dans la cour du lycée. Averti par Fabienne, le directeur les attendait. Yves Grandet était petit, râblé, et proche de la cinquantaine. Ses yeux clairs avaient une expression amicale ; il montrait les manières franches et un peu rudes d'un ancien joueur de rugby. Il ouvrit la portière et tendit la main à Hélène.

— Je suis heureux que vous ayez pu venir, dit-il. Les professeurs et les élèves sont impatients de vous rencontrer.

La couverture médiatique de son dernier livre avait accru la notoriété d'Hélène ; certains critiques la considéraient comme une romancière de la neurasthénie et du désespoir, qualification qui lui paraissait dépourvue de signification.

Après une collation dans le réfectoire du lycée et la visite guidée de l'établissement qui ne semblait pas être un triomphe de la modernité — il datait du XVIIe siècle et on en construisait un nouveau sur les bords du lac —, ils retournèrent dans la salle du conseil de classes où on avait disposé des tables. Contrairement à Toussainte Leca, lui avait soufflé

Grandet, l'autre professeur de lettres avait été enthousiasmé par son livre. Il s'appelait Jérôme Joffré. Il avait été l'un des premiers à se présenter à elle. Mince, le teint halé, il dodelinait en permanence de la tête comme s'il souffrait d'une maladie nerveuse. Il avait une belle voix grave :

« J'envie votre talent, vous savez », lui avait-il dit au cours du déjeuner. Il portait de minuscules lunettes, avec des montures rondes à l'ancienne. Elle l'avait trouvé posé et intelligent. A l'opposé de Toussainte, il avait un esprit ouvert, dépourvu de l'académisme si rébarbatif qu'on trouve quelquefois chez les membres du corps enseignant. Quant à Toussainte, elle dissimulait mal l'envie impérieuse d'être à la place d'Hélène.

Durant l'après-midi, face aux professeurs, dont certains à l'évidence cherchaient à la mettre en difficulté, et à un groupe d'élèves, Hélène se prêta au jeu des questions et des réponses tout en ayant conscience d'être soigneusement inspectée par ses interlocuteurs.

Elle évoqua ses souvenirs et les conditions dans lesquelles l'idée du livre lui était venue. Il existait un rapport entre son héroïne et elle, mais c'était un point qu'elle ne voulait commenter que superficiellement. Elle resta muette quand on lui demanda si une grande partie des droits d'auteur du livre avait été envoyée à la famille de Zhang Ling, la jeune Chinoise dont elle racontait la tragédie.

Les élèves étaient captivés, et Hélène, dont c'était la première rencontre directe avec des jeunes à propos de son livre, fut émue de leur sollicitude. Beaucoup cherchaient à obtenir d'elle son opinion, et elle s'était vue parler avec entrain d'une variété ahurissante de sujets.

*

Tout compte fait, la soirée était agréable, se dit-elle en se glissant dans son lit ; j'ai un peu trop bu.

On l'avait logée à L'Embarcadère, un hôtel-restaurant en bordure du lac. L'endroit était charmant. Un dîner avait été organisé en son honneur à l'hôtel.

Elle avait été surprise de trouver la salle à manger pleine ; dans le parking la plupart des véhicules portaient des plaques d'immatriculation suisses. Après avoir repoussé gentiment les manifestations de curiosité, Hélène avait déclaré en souriant qu'on avait assez parlé d'elle, et elle s'était mêlée à la conversation générale.

Le directeur du lycée avait invité les deux professeurs de lettres. Toussainte Leca, très garden-party — elle avait trouvé le temps de se changer et elle était arrivée la dernière — et Jérôme Joffré. Il y avait aussi Fabienne Thomas-Blanchet, et un notaire franco-suisse à la crinière de faune, féru d'art, dont elle n'avait retenu que le prénom, Max, et le mot « postmoderne » qu'il maniait avec de grands gestes comme un torero ses banderilles. Il était vêtu avec recherche mais sans fantaisie. Classique ; plutôt anglais qu'italien.

Hélène entrouvrit la fenêtre de sa chambre. L'air de la nuit avait l'odeur de la forêt. La masse sombre du lac miroitait sous la lune. Deux baigneurs s'y étaient noyés récemment, et l'été précédent une voiture avait été coulée par des trafiquants de drogue. La frontière avec la Suisse était proche, et une colonie d'émigrés turcs s'était installée dans la région.

Cette déclaration, « Le corbeau est mort », sonnait comme un signal d'alarme dans l'esprit d'Hélène sans qu'elle sache pourquoi. Il s'était passé quelque chose, ou elle avait entendu quelque chose qui aurait dû éveiller son attention.

Elle rebrancha son téléphone portable pour consulter sa messagerie. Léo avait appelé mais elle n'avait pas envie d'entendre sa voix. Le problème de Léo, c'était son ego. Satisfait de sa vision de l'avenir, il refusait d'admettre qu'on pouvait se passer de lui. La vie d'errance qu'elle avait choisie n'avait pas de valeur aux yeux de l'avocat mondain spécialisé dans la protection mondiale des marques. Léo séduisait par son sourire, et par une dose d'intelligent cynisme développé en neutralisant les pièges posés sous ses pas.

On frappait à la porte de la chambre. Hélène regarda sa montre. Il était vingt-trois heures cinq. Les coups reprirent. Des coups hésitants, donnés à contrecœur.

— Oui ? dit-elle.

— C'est moi, Fabienne.

Elle ouvrit.

— J'en ai pour une minute, dit Fabienne. Je suis désolée de vous déranger, mais j'ai vu la lumière dans votre chambre et j'ai pensé...

— Entrez, dit Hélène.

Fabienne avança de quelques pas. Elle serrait contre sa poitrine une grande enveloppe de papier brun.

— Je vous ai apporté les manuscrits, pour votre éditeur.

Hélène eut l'air surpris, puis d'un coup se rappela la proposition faite deux mois plus tôt quand Fabienne lui avait appris que les jeunes de la ville avaient choisi son livre. Elle s'était engagée à transmettre à sa maison d'édition de courts récits proposés par les aspirants écrivains.

— Mon Dieu, c'est vrai, dit-elle, en prenant l'enveloppe que Fabienne lui tendait.

— Il y en a huit, précisa cette dernière.

Hélène ouvrit l'enveloppe.

— Vous les avez lus ? demanda-t-elle.

— Oh, non. Bon, je vous laisse. N'oubliez pas le rendez-vous avec le journaliste du *Progrès.* Il se présentera à votre hôtel à dix heures, demain matin.

Hélène retourna à la fenêtre. Dehors, la berge éclairée par des lampadaires était déserte et paisible. Le mémorial de la déportation s'avançait sur le plan d'eau près de l'embarcadère ; Nantua et son lycée avaient payé un lourd tribut pendant la guerre, avait confié Grandet. Le paysage avait un aspect calme et digne qui s'accordait bien avec les vieux bâtiments. « C'est un monde à part », pensa-t-elle. On pouvait facilement se laisser glisser sur cette pente mélancolique.

Elle s'assit sur le lit, prit l'enveloppe et la secoua. D'autres enveloppes tombèrent. Y jeter un regard ne l'engageait à rien. Elle les donnerait à un éditeur de la maison plus qualifié qu'elle pour décider si un texte était prometteur ; elle ne se sentait pas le droit de faire une première sélection

Elle éparpilla les enveloppes. L'une d'elles attira immédiatement son attention ; une enveloppe blanche, format long, qui portait en caractères gras écrits au feutre rouge : *Madame Wang*.

Hélène ressentit une crampe à l'estomac. « Ne l'ouvre pas, se dit-elle. Oublie cette histoire ridicule, tu es loin de la Chine et de ses dangers. » Puis elle songea au jeu qu'elle avait tiré dans le train et eut un geste de lassitude.

Elle ouvrit l'enveloppe. Elle contenait des feuillets agrafés par le bord supérieur. Elle approcha le document de la lampe de chevet. Le texte, sorti d'un ordinateur, comportait une citation sans référence :

« La vengeance est mon royaume, la chair est mon festin. Quand tu crois m'avoir oublié, regarde autour de toi. »

« Ça commence bien », murmura-t-elle.

Elle se mit à lire à haute voix, cherchant à augmenter la distance entre le texte et elle.

Un été tardif baignait les étangs d'une lumière dorée. Les feuillages ombraient les chemins. A la tombée du jour, les eaux avaient des reflets d'océan. L'air était doux, et on avait encore l'illusion de croire qu'il pouvait à tout instant s'écarter pour dévoiler une douceur plus grande encore. Les briques rouges de la forteresse rougeoyaient.

Il se désintéressait de tout cela. Tapi dans un bosquet, il la guettait.

Petit à petit, les sentiers s'étaient vidés. Son regard s'accrochait à elle comme la griffe d'un animal ; il l'avait cherchée si longtemps. Un tremblement le secouait. Il regarda ses mains. Elles étaient crispées, pareilles à des serres ; il voulait la tenir par la gorge, lui faire payer, sentir les vaisseaux, les cartilages, les chairs s'écraser.

Elle roulait à bicyclette, entre l'ombre et la lumière. C'était une chance qu'il fasse si beau. Il décrispa ses mains. Un flot d'optimisme l'inonda ; quelque chose qui ramollissait ses jambes et brûlait son ventre. Il se rapprocha. Comme dans un film au ralenti, chaque seconde durait une minute.

Le bois était désert. Il regarda sa montre : dix-sept heures dix.

Il se rapprocha. Il eut un rire. Même si les gens parvenaient à comprendre un jour, ils n'auraient aucune raison de penser à lui. Jamais la police n'irait enquêter dans sa direction. Il jeta un coup d'œil aux alentours.

Maintenant ! Là ! Il s'avança. La jeune fille avec de beaux yeux clairs le regardait attentivement. Il abordait l'instant qu'il avait si longtemps attendu. Il n'avait pas chassé la Promesse de sa mémoire, il l'avait congelée. Le temps était venu de la réchauffer.

Il avait pris soin d'attacher la fille et de la bâillonner. Elle avait à peine crié ; un cri faible, qui s'était perdu dans celui de la forêt et des oiseaux. Il avait attendu, épiant les bois ; personne ne l'avait remarqué. Il disposait d'une demi-heure avant que la nuit tombe. Il jugea que c'était suffisant.

Il se déchaussa, se déshabilla, et déposa au sol ses vêtements après les avoir méticuleusement pliés. Il s'approcha d'elle et vérifia la solidité de la cordelette qu'il tenait à la main. La fille était nue, mais il lui avait laissé ses socquettes. Il joua un moment avec divers scénarios qui l'excitèrent, puis il la frappa d'un coup sur la glotte pour l'empêcher de se débattre et de crier. Il la détacha, retira le bâillon, et se glissa derrière elle. Il noua la cordelette autour de son cou.

Il serrait, la tenant fermement contre lui. Elle se débattait, la bouche ouverte, essayant de trouver un peu d'air. Il continuait de serrer doucement, progressivement. Les muscles de ses épaules étaient durs, tendus. Les jambes de la fille étaient parcourues de soubresauts. Elle commençait à se griffer les cuisses. C'était bon signe. Il sentait le poids de son corps peser sur ses avant-bras. Il était très excité. Le sang battait dans ses artères d'une manière pressante et une pulsation sourde montait dans son sexe. Le besoin de plaisir, aussi riche qu'une sève, arrivait. Il devait agir vite. Il relâcha sa prise et laissa la fille glisser au sol. Il se pencha sur elle. Une mousse sanguinolente obstruait sa bouche. L'air pénétrait dans ses poumons avec un curieux sifflement. Elle reprenait conscience. Elle reposait sur le dos, une jambe repliée ; un collier bleui cerclait son cou. Ses cuisses étaient striées de rouge. Une chaînette en or avec un médaillon brillait sur sa poitrine. Il enjamba la fille et se tint au-dessus d'elle. Des yeux épouvantés le contemplaient.

— Appelle-le ! cria-t-il. Appelle-le, et je te laisse tranquille.

Elle devait le prononcer. Il sentait l'odeur de sa panique. Il se pencha et chuchota à son oreille.

— Répète ! hurla-t-il.

Il se laissa tomber à genoux et d'un geste brutal lui écarta les jambes. Il vit le mot se former sur ses lèvres. Un cri de détresse, faible, désespéré. Inutile.

— Papa !

Plus tard, il émergea de la nuit. Il venait de jeter le corps, après l'avoir démembré. La brise faisait clapoter la surface de l'étang et le vacarme des oiseaux retentissait dans sa tête. En face de lui, de l'autre côté d'un terrain non construit, une maison enveloppée par la masse sombre des feuillages ; le bruissement des branches et dans sa gorge l'odeur du sang. Il s'avança, contourna la façade principale.

Excepté la lumière au premier étage et dans la cuisine, la maison était noire ; plusieurs fenêtres étaient entrouvertes. Il repéra l'arrivée des fils téléphoniques à côté du garage et les coupa.

Il hésita devant l'interrupteur général de courant, mais se ravisa. Il aurait besoin de lumière pour son spectacle. Il retourna sur la terrasse et n'eut aucune difficulté à s'introduire dans le salon. Il ouvrit la fermeture Eclair de sa veste et sortit une cagoule de bourreau qu'il enfila. Il contempla la lame de son couteau, une lame avec un bord cranté, une arme de chasse capable de scier les os. Le besoin de l'enfoncer, de fouiner et de fouiller ; le besoin de sentir la douleur jaillir sur lui quand il inciserait son ventre ; il la percerait à mort. Il s'agissait d'un acte de justice ; une volonté de suppléer l'ordre moral et le système défaillant. Il n'avait pas choisi son destin ; c'est le destin qui l'avait choisi. Rien, sauf lui-même, n'avait de valeur à ses yeux. La vision se glissait dans ses pensées et prenait le contrôle de ses sens. Il sentit son sexe se tendre et devenir dur, aussi dur que la lame.

Cette sève le brûlait et le glaçait à la fois. Les méthodes qu'il inventait pour calmer son attente étaient moins efficaces ; le poids devenait plus lourd. Il apporta quelques retouches à sa vision, comme un artiste à l'affût d'un détail inattendu. Il monta les marches. Arrivé sur le palier, il vit au fond d'un couloir obscur une chambre éclairée. Ses bottillons de caoutchouc faisaient un léger bruit sur le carrelage, mais il ne s'en souciait pas. Il se colla au mur et se glissa vers le cadre de lumière qui saillait tout au bout. Il était le scénariste, le producteur et l'acteur principal de cette représentation unique ; il avait préfiguré les émotions qui le traverseraient, les jeux de scène, les sentiments de sa victime, son unique spectateur. Surprise, danger, terreur... puis souffrance. Un instant magique où il se tiendrait au milieu du chaos, jouant avec les possibilités que la mère lui offrirait. Il se dit qu'il fallait improviser, créer un terrifiant monument de douleur, qui plaiderait sa cause vis-à-vis de lui-même, qui rachèterait le temps perdu.

Dans la pièce, avec une conscience aiguë, la femme ressentait une présence qui attendait de surgir. Sa fille était-elle de retour ? Elle ne se souvenait pas de l'avoir entendue rentrer. Soudain, quelque chose bougea derrière elle. Une ombre se tenait dans l'embrasure de la porte. L'homme était grand, vêtu d'un costume sombre ; il portait un masque et des gants de cuisine en caoutchouc. L'homme fit trois pas dans la pièce et lui adressa un signe de tête. Elle ne distinguait pas son regard. Elle sentait une odeur de marais ; le pantalon de l'intrus était humide. Pourquoi portait-il des gants ? Il ne voulait pas laisser d'empreintes, il était venu pour la violer et l'assassiner ! Elle resserra son peignoir et recula jusqu'à ce que le montant du sommier heurte le creux de ses genoux. Elle ne le quittait pas des yeux. Elle fit quelques pas sur le côté, essayant de mettre le grand lit entre elle et lui. Il eut un mouvement du bras. Il tenait à la main quelque chose de brillant. Un couteau. Elle cessa de reculer, pétrifiée. Il continuait d'avancer. Il posa une main sur sa poitrine, entrouvrit le peignoir, caressa un mamelon, puis le tordit sauvagement. Malgré la douleur elle se dégagea et chercha à le contourner pour s'enfuir. Il fut plus rapide. Elle se heurta à lui, puis courut se réfugier à l'autre bout de la pièce. La salle de bains ! Elle aurait pu s'y enfermer mais c'était trop tard. Elle vit qu'il avait deviné son intention. Il ferma la porte de la chambre et donna un tour de clé. Peut-être cherchait-il seulement à l'effrayer. Oui, sûrement. Un voleur. Il fallait parlementer, s'excuser, s'abaisser, promettre de tout donner, imaginait-elle. Elle ne quittait pas le couteau des yeux. Il pouvait l'enfoncer dans sa chair, la mutiler, la défigurer. Prise au piège, elle s'était mise à haleter. Soudain, il fut sur elle et lui porta un coup sur le côté de la tête. Elle ne tomba pas. Il la saisit par l'épaule et l'attira à lui. Elle n'essaya pas de se dégager, mais tenta de lui donner un coup de genou dans le bas-ventre. Elle n'avait pas assez de recul et n'obtint aucun résultat.

— Pour l'amour du ciel, cria-t-elle, arrêtez ! Je ferai ce que vous voudrez.

Il la frappa en plein visage avec le manche du couteau. La douleur la fit tomber à genoux et une nausée lui souleva le cœur. Les débris d'os de son nez l'empêchaient de respirer. Le sang giclait de sa blessure et coulait dans sa gorge. Elle glissa sur le sol. Elle essaya de lever le bras dans un geste de supplication, mais il continua de la tirer doucement, par saccades, jusqu'à l'autre bout de la pièce. Au travers d'un brouillard fait de taches de couleur, elle le vit s'asseoir sur le dessus-de-lit à motif fleuri. Alors qu'elle commençait à croire qu'il en avait terminé avec elle, il s'agenouilla, défit son peignoir, et lui arracha son slip. Quelque chose pénétra en elle. Elle crut qu'il était en train de la violer, puis le froid et la douleur explosèrent dans son ventre et malgré son désir de hurler aucun son ne sortit de sa gorge. Dans ses yeux la lumière disparut comme dans un objectif qui se ferme et elle l'entendit murmurer : « Lénore vous attend. »

Ainsi, songea-t-il en se relevant, l'« autre » serait incapable de réunir ces éléments disparates en un tout.

Bientôt peut-être, dans une autre forêt, une autre jeune fille avec de beaux yeux clairs croiserait son chemin.

*

Hélène se réveilla en sursaut, la nuque en sueur. Son cœur battait sur un rythme désordonné et la respiration lui manquait. Elle se leva, prit un cachet dans sa trousse de toilette, sortit dans le couloir, fit plusieurs allers-retours jusqu'à ce que la sensation d'étouffement s'estompe.

Elle ne s'était jamais remise de ce voyage à Shanghai et de sa rencontre avec Zhang Ling. La tragédie de cette adolescente avait changé sa propre vie. Elle n'avait pas envie de penser à ça, au corps étendu, et à cette pesanteur qui n'appartient qu'à la mort. Plusieurs semaines après son retour en France, en plein milieu de l'écriture de son livre, les malaises avaient commencé. Une sensation d'étouffement la prenait par surprise et une douleur paralysait son bras gauche. Le phénomène survenait la nuit en plein sommeil, parfois dans le métro, au cinéma, dans l'escalier ou l'ascenseur.

Avec le temps, et sur les conseils d'un cardiologue, Hélène avait fini par consulter un psychiatre. Elle se souvenait de sa première visite : une femme au visage austère lui parlait avec des intonations de prêtre donnant l'extrême-onction ; un bureau, des tons couleur feuille morte ; un étrange fauteuil à bascule qui grinçait chaque fois qu'elle déplaçait son poids.

— Pourquoi ne pas abandonner votre livre ? avait suggéré la femme. Cela résoudrait certains problèmes.

— Pas le mien.

— L'idée d'abandonner, comment la percevez-vous ?

— Terrifiante !

La psychiatre avait consulté ses notes.

— Optez pour une histoire moins tragique ; changez de mode de vie. Donnez-vous une chance de réévaluer les choses.

Elle avait marqué un point, mais l'idée portait un parfum de mise sur la touche, pensa Hélène.

— Quelles choses, docteur ?

— Vous me parliez de self-control.

— Oui, j'ai peur de le perdre.

— Que se passerait-il si vous perdiez ce contrôle ?

— Je n'en sais rien.

— Cela vous effraie de ne pas savoir ?

— Oui.

— Avez-vous songé à ce qui pourrait effacer cette peur ?

Prendre un revolver et me faire sauter la cervelle, ou perdre réellement ce contrôle et aller jusqu'au bout de ma peur.

— J'y ai songé. Cela m'effraie également.

— A quelles conclusions avez-vous abouti ?

— A aucune. Juste un trou au bord duquel je me tiens, avait dit Hélène avec un sourire.

Après un silence la psychiatre avait dit :

— Votre âge est à prendre en considération.

— J'ai à peine trente-quatre ans ! Ce n'est pas un peu tôt pour la crise de la quarantaine ?

— Un stress permanent peut produire le même effet sur une femme plus jeune.

Elle avait consulté sa montre.

— Le temps de visite est écoulé. Je suppose que vous n'avez pas l'intention de suivre une thérapie et je ne vois vraiment pas ce que je peux faire en dehors de vous donner un anxiolytique.

— Je ne veux pas de médication régulière.

— Je vois, avait dit la psychiatre en commençant à rédiger une ordonnance. Un comprimé sous la langue au moment de la crise. Et appelez-moi... si vous en sentez le besoin.

Hélène ne l'avait jamais revue. Avec le temps, les crises s'étaient espacées.

Il était une heure du matin. Elle avait soif et la chambre ne comportait pas de minibar. Elle alla dans la salle de bains remplir un verre d'eau dont elle but la moitié, et s'assit sur le bord du lit, face au miroir. Etait-ce de la détermination ou de la lassitude qu'elle lisait dans son regard ? Elle sentait bien que chercher une raison à chaque chose menait à l'aveuglement ; le désir forcené de comprendre porte en lui la faculté d'effacer ce qu'on cherche.

Elle ramassa les feuillets. Il n'avait pas poussé l'audace jusqu'à inscrire un nom. Elle replaça les pages dans l'enveloppe et se leva pour ouvrir la fenêtre.

Il pleuvait. Autour du lac les montagnes formaient une masse indistincte et mystérieuse. L'odeur de l'herbe mouillée était entêtante, et elle pensa qu'elle aurait aimé marcher pieds nus dans les flaques.

Sa venue avait déclenché l'envoi de cette confession déguisée. Cela n'avait rien d'une mauvaise plaisanterie, c'était l'exécution d'un plan soigneusement arrêté. *Il* avait flairé dans le contenu de son dernier livre l'odeur de la souffrance et du mal. Elle réfléchissait à la demande implicite du texte ; il contenait suffisamment d'indices pour lui permettre de jouer à son tour : *les oiseaux ; la forteresse de briques rouges ; les marais ; un double meurtre ; un prénom, Lénore.* Elle avait l'initiative ; un privilège qu'*il* lui donnait pour le moment. La menace contenue dans la dernière ligne était là pour l'inciter à ne pas sous-estimer l'authenticité du récit. Ce qu'*il* laissait entendre c'est qu'*il* avait une autre victime en vue dans un futur proche, mais *il* acceptait, peut-être, de ne pas se mettre en chasse dans l'immédiat. Il se disait capable de meurtrir, de violer, de tuer, et son comportement ne prêtait sûrement à aucune suspicion car il n'avait pas été pris. C'était quelqu'un d'ordinaire, et de très très prudent. Comme tous les pervers qui demeuraient dans l'ombre, il n'avait de grands projets que pour lui-même. Elle était là seulement pour relancer le jeu, apporter un nouveau stimulus à son excitation. Il ne craignait personne et le succès lui appartenait.

Elle referma la fenêtre, se recoucha et éteignit la lampe. L'écran qui les séparait finirait par se dissoudre. Il ne pouvait en être autrement. Pour la seconde fois de son existence elle était appelée à pénétrer dans l'univers d'un assassin ; elle espérait simplement avoir un peu plus de chance.

4

La baie vitrée donnait sur le lac. Sa surface miroitait sous la lune, masquée parfois par de lourds nuages. Une lumière douce jouait sur les meubles d'époque, les secrétaires en noyer, les tapis persans disposés en un harmonieux désordre. L'écran d'un Home-Theater couvrait un pan de mur ; il y avait des consoles partout, surmontées de miroirs vénitiens. Un télescope était braqué sur le lac.

L'homme se savonna soigneusement sous la douche. La vapeur embuait le marbre et les miroirs. Il frotta la glace avec une serviette et se regarda. Épaissi à la taille, le cou enfoncé dans les épaules, il donnait une impression d'énergie malsaine. Un visage glabre, des lèvres pleines ; un ensemble qui pouvait paraître intimidant, selon les circonstances. Il se sécha les cheveux, passa un peignoir et retourna dans la pièce. La fille était allongée dans la position où il l'avait laissée.

— Comment s'appelle-t-elle ? dit-il d'une manière détachée.

La fille se redressa. Il la vit secouer ses mèches et allumer une cigarette. Vue sous cet angle, elle ne faisait pas ses dix-sept ans.

— Laura.

— Laura, Laura...

Il ne s'était pas éclairci la gorge ; sa voix avait manqué, trahissant l'excitation qu'il éprouvait.

— Tu lui as parlé ? Elle t'a dit qu'elle viendrait ?

La fille hocha la tête. L'homme remit sa chevalière.

— Qu'est-ce que tu lui as dis ?

La fille haussa les épaules.

— T'en fais pas ! Tu m'en donnes encore un peu ?

L'homme s'approcha du lit. La fille s'était allongée, les bras derrière la nuque.

— Il est capable de te tuer s'il apprend que tu l'as fait, dit-elle en riant.

Il haussa les épaules et fit demi-tour. Il marcha jusqu'à un secrétaire, fit jouer un mécanisme, et sortit d'une cache un sachet en plastique rempli de poudre blanche. Il prépara deux lignes et retourna vers le lit. Tandis que la fille sniffait sa coke, il laissa son esprit vagabonder, jouant avec divers scénarios qui l'enflammèrent.

5

Assis en face d'Hélène, le journaliste en était à son troisième croissant. Il était jeune, dans les vingt-cinq ans, et son regard ironique contrastait avec son physique ingrat.

Dans la salle à manger de L'Embarcadère, près de la fenêtre, se trouvait Max Maurice, le notaire. Il lui avait fait signe quand elle était entrée. Il n'était pas seul ; un autre homme se trouvait à sa table. Il avait tourné la tête dans sa direction. C'était Jérôme Joffré, le professeur de lettres. Les deux hommes lui avaient proposé de s'asseoir à leur table. Max ressemblait plus que jamais à un faune ; elle trouva qu'à la lumière du jour son sourire était faux. Jérôme Joffré, lui, ne semblait plus souffrir de cet éternel balancement de la tête. Ils avaient échangé des banalités, puis elle s'était excusée, indiquant le journaliste qui l'attendait à une autre table.

Maintenant, elle attendait patiemment qu'il termine sa bouchée.

— Vous semblez me prendre pour une idiote, dit-elle en secouant la tête.

Elle prit le petit magnétophone posé sur la table et l'arrêta. Il se redressa un peu sur sa chaise.

— Inutile de me parler d'un livre que vous n'avez pas lu.

Le journaliste paraissait pris au dépourvu. Il leva les deux mains, conciliant.

— Dire que je l'ai lu serait inexact. Pour être franc, je l'ai parcouru avant de descendre de la voiture. Mais on dit que c'est un bouquin remarquable.

Hélène le regarda en souriant. Elle sembla un moment perdue dans ses pensées, puis elle écarta la mèche qui tombait sur son front. Dehors, de lourds nuages gris assombrissaient la ville. Il y avait d'autres hommes dans la salle ; elle sentait leurs regards errer çà et là, faussement distraits, avant de se poser sur elle.

Les deux meurtres, les indices, la menace de recommencer, et ce « Corbeau » qu'elle n'arrivait pas à placer dans le puzzle, revenaient comme une obsession. Peut-être le meurtrier était-il parmi ces hommes qui l'épiaient, préparant le coup suivant.

— Quelque chose vous tracasse ? demanda le journaliste.

Il observa sa réaction tout en finissant son croissant. Elle semblait revenir à elle, et l'étudiait avec attention.

— Vous connaissez bien la région ?

Il haussa les épaules.

— J'y suis né.

— Des marais, beaucoup d'oiseaux, ça vous dit quelque chose ?

Il éclata de rire.

— On voit bien que c'est la première fois que vous venez par ici. Ça s'appelle la Dombes.

— La Dombes ?

Il acquiesça. Il en profita pour allumer une cigarette.

— Exact, dit-il. A côté de la Bresse. Il y a à peine un siècle c'était une région pourrie. Maintenant on a transformé la plupart des marais en étangs, pour la pêche. Il y en a plus de mille. Si vous comptez vous balader là-bas, je peux vous donner des adresses.

— Et les oiseaux ?

— La réserve de Villars est l'une des plus importantes d'Europe.

— Et une forteresse de briques rouges ?

Il hocha la tête.

— Il y en a une à Bouligneux, juste avant Villars. Elle date du XIVe siècle, je crois. Mais on ne peut pas la visiter, c'est privé.

Et voilà ! se dit-elle. Ce n'était pas bien difficile. Elle décida d'aller un peu plus loin.

— Vous êtes au courant des meurtres qui se sont produits dans la Dombes ?

— Quels meurtres ?

Elle eut un geste vague. Le journaliste éteignit sa cigarette. Il tardait à répondre, comme s'il cherchait à découvrir ce que cachait cette série de questions.

— Je ne vois pas, dit-il. Les crimes, c'est plutôt un sujet médiatique. De toute façon si on ne peut pas donner au public un suspect ou une enquête qui rebondit, ça perd vite son intérêt... sauf pour les familles des victimes. Non, je ne me souviens pas d'une chose pareille dans la Dombes.

Il fronça les sourcils.

— Vous êtes sur les traces d'un meurtrier ? Le sujet d'un prochain livre ?

Elle battit en retraite. Elle était allée trop loin et elle décida de s'en sortir avec un sourire. Elle remit en route le magnétophone.

— Vous pouvez toujours vous rabattre sur les questions personnelles, dit-elle. Je verrai si je peux y répondre.

Une séance de signatures était prévue dans l'après-midi à la médiathèque. Hélène en profita pour questionner Fabienne sur la manière dont les manuscrits avaient été collectés.

— Vous les avez lus ? demanda cette dernière. Qu'est-ce que vous en pensez ?

— Il y en a un d'intéressant. On vous les a remis en mains propres ?

— Non, dit Fabienne. Dès que j'ai eu votre accord, j'ai mis une note au tableau d'affichage. Les manuscrits ont été déposés dans une boîte, ici même.

— En dehors des élèves et des professeurs, qui d'autre était au courant ?

— Tous ceux qui viennent à la médiathèque pour consulter ou emprunter des livres. En général, ils regardent le tableau. Toutes sortes de notes sont affichées.

Après le départ du journaliste, Hélène était remontée dans sa chambre. Elle s'était allongée sur le lit, essayant de mettre de l'ordre dans ses idées. Aller à la gendarmerie, pour l'instant, lui paraissait ridicule. Ce que la police exigeait, elle était bien placée pour le savoir, c'était des faits, pas des intuitions. Elle n'aurait pas imaginé retrouver ce genre de situation dans un village du Jura. Il lui fallait aller plus loin et découvrir l'identité des victimes.

Elle avait téléphoné à Léo pour lui dire qu'elle retardait son retour. Devant son insistance, elle avait été plutôt sèche. Il était si prévisible, si répétitif. Elle avait ensuite appelé Pauline, sa voisine. Pauline avait oublié d'arroser les plantes et de vider le réfrigérateur. Hélène s'y attendait. Pauline était trop occupée par le flot ininterrompu de ses boys-friends, et sa recherche quasi désespérée d'y trouver un mari.

Devant une tasse de thé, Hélène était restée à écouter la pluie tambouriner sur les vitres. Elle se rappelait un autre jour de pluie, un an plus tôt, sur les quais de Shanghai, quand elle avait accompagné la police dans cet entrepôt abandonné. Ils avaient contourné un groupe de bâtiments autour desquels paraissaient s'être concentrées toutes les forces de police de la ville. Une bonne douzaine de voitures et de véhicules utilitaires encombraient une aire de parking. Ils s'étaient garés sur le bas-côté. Elle savait pourquoi on l'avait envoyée chercher et ce qu'ils avaient trouvé.

Toute l'attention semblait être concentrée autour d'un local adjacent au hangar. Elle avait discerné un groupe d'hommes et de femmes qui s'affairaient, à l'intérieur et à l'extérieur, et le crépitement et les éclairs des flashes qui ne laissaient aucun doute.

Un policier en civil était venu dans sa direction. Il l'avait prise par le bras et l'avait entraînée à l'écart.

— Il est de mon devoir de vous rappeler que tout ce que vous allez voir ici est confidentiel, Miss Wang, avait-il dit.

Elle avait laissé la remarque s'étioler dans le silence. L'odeur de la rivière Huangpu était entêtante.

— C'est si moche que ça ? avait-elle demandé sans attendre vraiment de réponse.

En ressortant, elle avait su que quelque chose s'était brisé en elle pour toujours, comme un mécanisme détraqué que rien ne pourrait plus remettre en marche. Elle avait su aussi que cette solitude qui lui oppressait le cœur, elle ne s'en débarrasserait plus. Elle était restée assise contre un mur, trempée, le visage ruisselant, tandis que, pareilles à une armée de fantômes, des nappes de brouillard prenaient d'assaut les quais. A présent, d'une curieuse façon, elle retrouvait cette attente morbide dont elle ne prévoyait pas l'issue.

Quand le directeur était venu la prendre pour la conduire à la médiathèque, la pluie avait cessé. Le plafond de nuages se disloquait, laissant des rais de lumière se réfléchir sur les flaques et les carrosseries mouillées. La luminosité du lac était forte et Hélène avait remis ses lunettes.

Cet après-midi-là, elle signa une trentaine d'ouvrages. Au fur et à mesure que les gens s'approchaient du bureau, elle s'efforçait d'en trouver un qui corresponde à l'idée qu'elle se faisait de l'assassin. Un regard fuyant, une expression sarcastique, la façon de se tenir ; peut-être une tension contenue prête à s'échapper.

Non ! Il n'était pas assez stupide pour révéler sa culpabilité ; pourtant, elle était convaincue de sa présence ici. Il ne pouvait pas manquer de se montrer. Elle eut un frisson quand elle croisa le regard d'un homme qui s'avançait vers elle. Ses yeux étaient vides comme si un voile sombre les avait recouverts, masquant une fois pour toutes la nature de ses pensées. Il portait un jean, un pull-over moulant et des gants. Il devait être proche de la quarantaine ; deux rides profondes marquaient son visage dur, érodé. Ses poignets, qu'elle apercevait entre le bas de ses manches et les gants, étaient nerveux. Il s'arrêta, lui adressa un signe de tête, et lui tendit un exemplaire de son livre.

En s'efforçant de maîtriser son tremblement, elle le prit. Elle remarqua la taille de ses mains ; elle n'en avait jamais vu d'aussi grandes. Elles donnaient l'impression d'avoir suffisamment de force pour manier un couteau, découper un corps.

— Quel nom dois-je inscrire ? demanda-t-elle.

Elle vit qu'il hésitait à répondre.

— Aucun, dit-il. Je ne sais pas encore à qui je vais l'offrir. Signez-le simplement.

Sa voix était rocailleuse, contenue. Il n'était pas difficile, pensa-t-elle, de l'imaginer prenant plaisir à faire souffrir, à soulager sa frustration dans un règlement de comptes avec le monde entier. Pourquoi portait-il des gants ? Elle signa le livre et le lui rendit. Il la regarda un moment, les yeux mi-clos, avant de lui tourner le dos.

Une adolescente se trouvait à présent devant elle.

— Laura, dit-elle.

Hélène sourit et s'excusa. Elle se leva. L'homme avait disparu. Elle vit Fabienne au milieu d'un groupe d'élèves et lui fit signe. Elle lui fit une description rapide de l'homme. Fabienne marqua un temps d'hésitation ; cela lui rappelait quelqu'un, mais elle était incapable de se souvenir de qui précisément. Dans tous les cas, pas un habitué de la médiathèque, avait-elle conclu.

*

Le journaliste — il s'appelait Jean-François Morel — avait regagné sa voiture. En attendant de prendre l'autoroute en direction de Lyon, il avait baissé la vitre et allumé une cigarette. Il ne démarrait pas, songeant à sa conversation de la matinée avec Hélène.

L'air de la montagne était frais et humide. La surface du lac se hérissait sous la pluie, et il distinguait la tache sombre qui trahissait la profondeur de l'eau. Il jeta sa cigarette et s'étira. Lui non plus n'était pas idiot ; elle avait failli l'avoir avec son sourire et ses manières énigmatiques, mais il l'avait devinée. Cette série de questions pour en arriver à parler de meurtres, et cette marche arrière quand il avait manifesté de l'intérêt. Elle avait refusé de revenir sur le sujet. Elle n'avait rien d'une piquée, et elle était plutôt avare de ses mots. Elle ne plaisantait pas. Il s'était passé quelque chose dans la Dombes, et Dieu sait comment la romancière en avait eu vent. C'était le motif de sa visite dans ce trou perdu ; comment trouver une autre explication à sa venue ? Recevoir la médaille d'une sous-préfecture et parler devant un parterre d'élèves de terminale ? Il n'y croyait pas une minute, pas plus qu'il ne croyait aux coïncidences.

Il regarda sa montre d'un geste mécanique. Il devait se dépêcher s'il voulait prendre de l'avance. Il disposait de moyens qu'elle n'avait pas. Le gravier de l'allée crissa quand il sortit en trombe du parking de la médiathèque. Sur le siège avant, il y avait le livre qu'elle venait de lui dédicacer.

6

Laura avait achevé durant l'hiver ce que sa mère appelait sa croissance. A quinze ans, elle était toute en contours fermes et d'une beauté discrète. Elle referma la porte, sortit dans la rue et elle ne remarqua pas la voiture garée de l'autre côté. Il y avait rarement des voitures inconnues garées là, mais celle-ci était d'un modèle courant et elle n'y fit pas attention. Elle glissa les bras dans les bretelles de son sac à dos, enfourcha sa bicyclette, et se mit à rouler doucement, serrant la file de voitures en stationnement. Elle était en avance pour sa leçon de musique.

Derrière elle, la voiture démarra. Sans se douter qu'elle était épiée, Laura, insouciante, continuait de pédaler.

Il l'évaluait du regard, comme un jardinier ferait d'un jeune arbre qu'il a vu grandir au fil des saisons. Il la couvait depuis plusieurs années. Conduisant d'une main, il mit en route sa vidéo caméra digitale et actionna le zoom.

La technologie avait reculé à l'infini les frontières de son paysage. Il estimait unique sa collection de films ; une série de portraits d'adolescentes qu'il avait filmées à leur insu. Une mine dans laquelle il puisait le combustible de ses fantasmes.

Le moment approchait. Il avait de grands projets pour Laura ; elle satisferait ses appétits avec constance. Cette fois-ci, il avait pris la décision de faire passer le plaisir avant la Promesse.

Elle avait des jambes frêles et gracieuses, et ses seins paraissaient chaque semaine plus tendus. Elle était son type, avec ses cheveux bruns et raides qui lui descendaient jusqu'à la taille. Il était fasciné.

L'air était tiède, et il se sentait en pleine forme, sûr de lui. Il éprouvait la sensation que la nature ne vivait plus au ralenti. Seul le nœud dans sa gorge se resserrait quand il la détaillait ; comme s'il était réglé sur les battements de son cœur.

Avec elle, il alternerait violence et douceur. Il la garderait dans la cave qu'il avait aménagée. Les murs épais et l'absence de lucarne convenaient tout à fait. Personne ne l'entendrait crier. Il avait vérifié, poussant à fond le volume d'un transistor branché sur une station qui diffusait du rap. Il s'était promené dans la maison, dans le jardin et la rue adjacente ; il n'avait rien entendu.

Ainsi, il l'aurait sous la main et en profiterait comme bon lui semblerait. Il n'avait aucun plan pour l'été ; il le passerait avec elle. Il aimait renifler l'odeur de la peur, et cette odeur s'échapperait de la fille quand il lui aurait expliqué. Elle tremblerait entre ses mains comme un jeune lapin.

Il ne se faisait aucun souci. La région serait envahie de touristes ; on attribuerait sa disparition à un rôdeur, un étranger de passage. L'enquête piétinerait et la presse s'en désintéresserait vite. Personne n'irait faire le rapprochement avec Lénore.

La rue était calme et les feuillages des arbres dessinaient sur le sol un curieux treillis d'ombres chinoises. Brusquement, il eut devant les yeux le visage d'Hélène Wang. C'est une jolie petite mise en scène qu'il avait organisée pour elle. La veille, à la séance de signatures, il l'avait observée. Elle semblait s'être départie de son air absent, de cette impression d'être en permanence autre part ; avec quelle attention ferme, intense, elle examinait les visiteurs. Elle avait compris son message. Elle essayait de l'identifier. Il lui avait alors semblé qu'il s'introduisait dans son esprit, qu'il voyait en elle. Cette communication extraordinaire lui avait procuré du plaisir ;

une union particulière et si inattendue que les mots — et il en avait cherché — ne pouvaient définir.

Seules les strophes d'un poème oublié lui donnaient la sensation de plonger dans cet imaginaire fébrile, visible de lui seul.

Il les connaissait par cœur après tant d'années, tant de lectures...

Scrutant profondément ces ténèbres, je me tins longtemps plein d'étonnement, de crainte, de doute, rêvant des rêves qu'aucun mortel n'a jamais osé rêver ; mais le silence ne fut pas troublé, et l'immobilité ne donna aucun signe, et le seul mot proféré fut un nom chuchoté : « Lénore ! »

C'était moi qui le chuchotais, et un écho à son tour murmura ce mot : « Lénore ! » Purement cela, et rien de plus.

Rentrant dans ma chambre, et sentant en moi toute mon âme incendiée, j'entendis bientôt un coup un peu plus fort que le premier. « Sûrement, dis-je, sûrement, il y a quelque chose aux jalousies de ma fenêtre ; voyons donc ce que c'est, et explorons ce mystère. Laissons mon cœur se calmer un instant, et explorons ce mystère — c'est le vent, et rien de plus. »

Je poussai alors le volet, et, avec un tumultueux battement d'ailes, entra un majestueux corbeau digne des anciens jours.

Naturellement, la Chinoise ignorait tout de l'urgence et des implications du jeu. Et ce n'était pas lui qui allait les lui expliquer ; du moins pas encore.

Sur sa bicyclette, Laura songeait à ce que lui avait dit cette fille de terminale. Elle la connaissait un peu ; une fille cool, qui ne se prenait pas trop la tête. Le type est gentil, lui avait-elle dit. Vieux, mais gentil, et discret. Pas comme les garçons qui se vantent sans se soucier des conséquences. Laura avait peur mais elle ne se dégonflerait pas. Beaucoup de filles du lycée prenaient de l'ecstasy et de la coke ; elle ne voulait pas se sentir différente ; elle voulait y goûter. Elle avait adoré le roman d'Hélène Wang ; c'était son préféré. Elle s'était sentie si proche de l'héroïne, cette Chinoise de son âge, passionnée et secrète.

Un rayon de soleil perçait le chemisier de Laura et se décomposait en losanges de couleur sur l'écran de la caméra.

Du bout des doigts, il lui envoya un baiser ; un geste d'amour, pareil à celui d'un gentilhomme à la jeune fille de son cœur. Il éclata d'un rire franc et agréable. La vie était excellente, mais la souffrance était meilleure. Ce matin, il s'était occupé du jardin et un parfum de roses imprégnait ses doigts. Il revoyait le rouge des pétales, et il imaginait les mêmes, dessinées avec la pointe de son couteau sur cette peau jeune, fraîche, tellement satinée.

Son cœur battait la chamade. Ses paupières devenaient lourdes au fur et à mesure qu'il s'enfonçait dans ses visions sans la quitter des yeux. Il sentait une lourdeur peser entre ses jambes ; le sang affluait dans son sexe. Il murmura son nom, et tandis qu'il s'écoulait interminablement au plus profond d'elle, son esprit errait autre part, prêt à partir ou déjà absent.

7

L'employé du bureau de l'état civil regarda Hélène avec une lenteur calculée. Son expression trahissait la surprise devant cette demande équivoque.

— C'est impossible, madame. Il faut une autorisation du procureur de la République.

— Vous voulez dire, répéta Hélène — elle parlait lentement, détachant les syllabes —, que pour consulter le registre des naissances et des décès il me faut une autorisation ?

Prenant l'air désolé, l'employé hocha la tête. Hélène fit demi-tour et sortit de l'hôtel de ville. Elle remonta dans sa voiture et prit la direction de Bouligneux.

L'air de la campagne se chargeait d'une foule de senteurs incomparables. Elle se détendit et se laissa aller à ce court moment de quiétude. Le matin même, elle avait regagné Lyon et loué une voiture. Elle en avait profité pour faire quelques achats ; un jean, un sweater, une paire de sneakers, et un imperméable de chasseur qui tenait dans sa poche.

Sa première visite avait été pour la mairie de Villars-les-Dombes. Elle espérait trouver la trace d'une naissance, celle de Lénore. Ce n'était pas un prénom courant, et le meurtrier n'avait pas dissimulé qu'elle demeurait dans la région. Pour l'instant, c'était le seul indice dont elle disposait.

La veille, elle avait dîné avec Fabienne Thomas-Blanchet à L'Embarcadère ; elle avait trouvé la jeune femme intelligente et sympathique, et cette dernière ne s'était pas montrée avare de confidences quand Hélène l'avait questionnée sur les gens qu'on lui avait présentés. Un souffle humide voilait les lumières d'un halo. Une brume descendait de la montagne, se condensant à la surface du lac. Hélène n'avait pas tardé à déceler derrière les propos de Fabienne le climat de solitude, de jalousie, de détresse, qui baignait la petite ville.

Max Maurice, le notaire, qui passait la frontière avec la Suisse plusieurs fois par semaine, exaspérant de prétention ; les mauvaises langues soutenaient qu'il faisait du recel d'objets d'art volés et blanchissait de l'argent en vendant des tableaux en dessous de leur valeur. C'est lui qui avait insisté pour que Grandet, le directeur du lycée, l'invite au dîner qu'il donnait en l'honneur d'Hélène. Il avait l'impression de la connaître, avait-il soutenu. Il l'avait vue à la télévision et avait lu ses romans.

Fabienne se souvenait qu'il était venu à la médiathèque s'assurer que sa visite à Nantua n'avait pas été annulée. Max était un obsédé ; il était derrière tout ce qui portait un jupon. Il les préférait jeunes ; plus d'une fois on avait vu sa voiture devant le lycée à la fin des cours du vendredi. Il savait s'y prendre avec les gamines ; toutes avaient plus de seize ans, si bien qu'on ne pouvait pas l'accuser de détournement. Il jetait l'argent par les fenêtres pour gommer ce qu'il avait de répugnant, et ce n'était pas le premier type à coucher avec quelqu'un qui aurait pu être sa fille.

Les hommes qui préfèrent les filles très jeunes évitent les femmes, se disait Hélène ; c'est parmi cette catégorie qu'on trouve le plus grand nombre de violeurs.

Elle voulait en savoir davantage sur Yves Grandet et sur Jérôme Joffré, le professeur de lettres.

« Oh, Grandet n'est pas entré dans l'enseignement par vocation ; il ne cherche que la sécurité. Sa première femme est morte dans des conditions particulièrement horribles ; elle a brûlé dans l'incendie de sa voiture après avoir renversé un motard un premier de l'an. Il s'est remarié avec une enseignante, un professeur de mathématiques, aussi silencieuse et sinistre qu'il est chaleureux et communicatif. Il a divorcé l'année dernière. Max Maurice et lui vont à la chasse ensemble. Quant à Jérôme Joffré, c'est un véritable érudit et il ne peut pas encadrer Toussainte. Il ne se met jamais en avant. Il est président du club de Scrabble de la ville ; il joue bien au tennis, et l'année passée il n'a fait que trois fautes à la dictée de Pivot. Il n'est pas marié, et Toussainte raconte qu'il la déteste parce qu'elle a repoussé ses avances. »

Avec un hochement de tête, Fabienne avait accepté qu'Hélène remplisse son verre de bordeaux.

« Et cet homme, lui avait-elle demandé, celui que je vous ai décrit. Musclé, mais avec un visage tourmenté, et des mains... mon Dieu, je n'en ai jamais vu d'aussi grandes. Vous ne vous souvenez pas de l'avoir déjà vu ? »

Fabienne n'avait pas répondu. Elle gardait les yeux fixés sur son verre comme si c'était une boule de cristal.

— Comment s'appelle-t-il ?

La question n'avait pas paru surprendre Fabienne. Elle plissait le front, dans son effort pour conserver le silence.

— Fabienne ! Comment s'appelle-t-il ?

— Vous êtes perspicace, avait soupiré Fabienne. Melik Marmaris.

— C'est un joli nom. Grec ?

— Il est turc.

— Que fait-il ?

Hélène avait eu un sourire pour l'encourager à continuer.

— C'est un artiste. Il est sculpteur.

— Vous le connaissez bien ?

Fabienne paraissait avoir oublié ses réticences.

— Je l'ai rencontré l'année dernière à une exposition. C'est mon ex, mais nous ne nous parlons plus.

— Vous êtes encore amoureuse de lui.

— Plus maintenant. Oh, au début je ne jouais pas. Je le lui ai dit.

— Et lui, il tenait à vous ?

— Peut-être. Il était bizarre, mais ça, bon... tout le monde l'est plus ou moins. Je veux dire qu'aujourd'hui on ne cherche plus à cacher sa différence... Un jour, brusquement, il a changé...

Elle s'était tue, faisant tourner le verre entre ses doigts. Elle gardait les yeux baissés.

— ... Il est devenu violent.

— Il vous a frappée ?

— Oh, ce n'est pas l'envie qui lui manquait. Je crois même qu'il m'aurait tuée, mais il n'a pas eu le temps ; j'ai été plus rapide, je me suis sauvée.

— Qu'est-ce qui s'est passé ?

Elle avait eu un geste d'impuissance, pour dire qu'elle était incapable d'analyser ce comportement.

— J'ai bien essayé de comprendre ce qui avait pu déclencher sa fureur ; la seule explication c'est qu'un jour, en rentrant des commissions, il m'a trouvée devant la porte de sa cave. C'est à ce moment qu'il a explosé.

— Qu'y avait-il dans cette cave ?

Fabienne haussa les épaules ; tout cela n'avait plus d'importance.

— C'est une cave à bois. Il m'a dit qu'il entreposait des sculptures inachevées ; des ébauches qui ne lui plaisaient pas et qu'il ne voulait montrer à personne. Il est plutôt du genre parano pour son travail.

La forteresse du XIVe, avec sa tour tronquée, se reflétait sur l'étang. Les pigments rouges et ocre semblaient avoir été mélangés sur la palette d'un vieux maître. Un paysage aussi romantique et paisible qu'un tableau ; des étangs, des arbres, qui s'estomperaient dans un clair-obscur au coucher du soleil.

Hélène observait les alentours. En cette fin de juin, les visiteurs abondaient sur les routes et les chemins.

Rien de plus facile pour un assassin que de passer inaperçu, constata-t-elle. La scène du meurtre lui apparaissait avec une netteté parfaite. Elle imagina la jeune fille marchant dans un sentier, son vélo à la main, et son regard confiant quand elle avait croisé celui du meurtrier.

Elle fit quelques pas et se retourna. Elle regardait autour d'elle, comme si ses yeux étaient capables de le découvrir. Une ombre qui disparaîtrait dans un recoin ; une silhouette qui se détournerait. Ici ou là. Vigilant, furtif, invisible. Au milieu de cette foule, elle n'était pas en sécurité.

Un patineur vêtu d'une marinière bleue la bouscula d'une manière presque calculée. Il effectua un tour complet devant elle, avant de continuer sa course et de tourner dans une allée sur la gauche. Elle sursauta comme si elle avait reçu un coup dans le dos.

L'homme portait un masque ! Un masque d'oiseau !

Elle était sûre qu'il s'agissait d'un corbeau. Elle gardait l'image sur sa rétine. Il l'avait suivie jusqu'ici ! Elle sentit un fourmillement monter dans ses jambes ; elle avait la sensation d'être envahie par quelque chose qu'elle ne cernait pas ; quelque chose qui faisait cogner son cœur et lui serrait le ventre. Il n'y avait pas de protection contre cette menace qui emplissait l'espace autour d'elle.

Rien n'est arrivé par hasard. Tout a été planifié, se dit-elle. A première vue il s'agissait d'une vengeance, mais au-delà de cet acte, il avait trouvé du plaisir, un plaisir physique, une récompense qu'il s'était octroyée.

Elle prit dans son sac à dos une copie du manuscrit et relut les passages qu'elle avait soulignés au marqueur :

« Il n'avait pas chassé la Promesse de sa mémoire ; il l'avait congelée. Le temps était venu de la réchauffer. »

Une chaîne de circonstances l'avait conduit à cette promesse : celle de commettre ces crimes pour se venger.

Ces « circonstances », elle ne pourrait les découvrir dans les artifices dont il s'affublait. C'était une chose qu'elle avait apprise, d'abord comme romancière, puis au cours de son voyage en Chine. Les meurtres de cette sorte n'étaient jamais gratuits ; l'assassin choisissait ses victimes en fonction des émotions qu'elles déclenchaient. Ainsi, il avait choisi de se débarrasser du corps de Lénore dans l'un des étangs ; c'était un choix délibéré qui tirait parti des avantages du terrain, pas une réaction de panique.

Les étangs étaient asséchés un an sur deux pour qu'on y cultive du maïs ; le corps démembré de la petite avait toutes les chances de se décomposer, d'être dévoré par les poissons ; peut-être même ne l'avait-on jamais retrouvé. Il avait procédé de manière différente avec la mère ; il l'avait assassinée à son domicile, ne fournissant aucune explication sur ce qu'il avait fait du cadavre. Cependant, il donnait une indication :

« L'autre serait incapable de réunir ces éléments disparates en un tout pour comprendre la signification de ce qui arrivait. »

Il faisait allusion à une troisième personne ; il l'incluait dans son plan. Elle en était le centre. L'homme avait contraint Lénore à appeler son père avant de la violer ; c'était lui *« l'autre »*, la cible principale de l'assassin.

Un groupe de patineurs s'avançait dans sa direction. Elle eut un mouvement de recul ; ils portaient des masques d'oiseaux. Perroquets aux becs recourbés, aras au plumage multicolore ; ils avaient quelque chose d'effrayant. Ils la dépassèrent, empruntant la même allée que l'homme qui l'avait bousculée.

Elle consulta son plan. Le village n'était pas grand ; un peu moins de trois cents habitants. La famille de Lénore habitait dans le coin. Des crimes pareils, les habitants ne les avaient sûrement pas oubliés. De l'endroit où il se trouvait, le tueur voyait la forteresse et entendait le vacarme des oiseaux. Un peu moins de quatre kilomètres séparaient la réserve de la forteresse.

Elle retourna à sa voiture, puis, après une hésitation, se décida à prendre la rue où avaient disparu les patineurs. Sur sa droite, de vieilles tables et des chaises en bois encombraient une petite place ; la rue n'allait pas plus loin. Un café-épicerie aux volets peints en jaune semblait être le lieu de ralliement. Elle observa les consommateurs assis à l'extérieur. Elle eut droit à quelques sifflements auxquels elle répondit par un sourire. L'homme à la marinière bleue n'était pas là. Elle mit ses lunettes noires, entra dans le café. Au comptoir, elle commanda une bouteille d'eau minérale.

Accoudé au bar, le jeune homme à la marinière l'examinait. Il était blond, avec des cheveux dépeignés qui lui tombaient sur les yeux. Il y avait dans son attitude quelque chose d'insinuant, de calculé. Il passa sa langue sur ses lèvres avant de sourire avec une expression cynique qui disait : « Je savais que tu viendrais. » Il se baissa, ramassa le sac de sport qu'il avait calé entre ses pieds, et s'approcha d'elle.

— C'est moi qui vous ai bousculée tout à l'heure, dit-il.

Hélène posa son verre sur le comptoir et eut un petit geste de la main.

— J'ai quelque chose pour vous, continua-t-il.

Elle se tourna vers lui. Il fouilla dans la poche de son jean et en sortit une carte qu'il lui tendit.

— Qu'est-ce que c'est ?

— L'adresse d'un restaurant.

Elle ne prit pas la carte. Le jeune homme la posa devant elle.

— On vous a donné ça pour moi ?

— Oui.

— C'est vous qui portiez un masque de corbeau ?

Il hocha la tête en souriant.

— Paraît que le corbeau c'est votre oiseau favori.

La carte était celle d'un restaurant : Le Brochet bleu, à Villars-les-Dombes. Elle remplit son verre et le but d'un trait.

— Vous connaissez le type qui vous a remis ça ? demanda-t-elle.

— Jamais vu. Il m'a donné la carte et le masque et m'a expliqué ce que je devais faire.

— Et le restaurant ?

— C'est celui de la mère Solange.

— Comment savez-vous que c'était à moi que vous deviez remettre cette carte ?

Il la regarda, l'air surpris.

— C'est pas bien difficile, vous êtes la seule Chinoise.

— En effet, ce n'est pas bien difficile. A quoi ressemble ce... type ? Il était à pied ? En voiture ?

Elle avait enlevé ses lunettes et le fixait. Elle le vit hésiter. Elle se pencha, fouilla dans son sac à dos et prit son portefeuille.

— Combien ?

— Deux cents balles. C'est ce qu'il m'a donné.

Il se frottait la joue, en se balançant.

— C'est votre petit ami ?

— Je vous le dirai quand vous me l'aurez décrit.

Elle sortit un billet de deux cents francs et le lui tendit.

— Alors ?

Il prit le billet avec une expression faussement confuse.

— Je l'ai pas bien vu. Il portait des lunettes de soleil et une casquette.

— Vous vous foutez de moi !

Elle avait haussé le ton. Elle se rendit compte que tous les yeux étaient fixés sur elle ; elle entendait les commentaires échangés à voix basse.

— Je vous jure ! Je saurais pas le reconnaître ! Il avait la vitre à moitié levée. Peut-être qu'il revenait du golf... C'est ce que je me suis dit à cause de la casquette, des lunettes, des gants... l'attirail, quoi.

— Vous vous souvenez de la marque de sa voiture ?

— Une Twingo.

— Vous en êtes sûr ?

— C'était une bagnole de location comme la vôtre ; y avait la pancarte accrochée au rétro.

Hélène, désorientée, demeura silencieuse, tournant machinalement la carte entre ses doigts. Le jeune homme ramassa son sac.

— Attendez, dit-elle. Où est-ce qu'il vous a abordé ?

— Il était derrière vous.

— Et c'est lui qui vous a demandé de me bousculer et de venir dans ce café ?

— C'est ce qu'il a dit. Je n'avais qu'à vous attendre ici.

— Et si je n'étais pas venue ?

Il eut un sourire éblouissant.

— Ça, dit-il, c'était pas prévu.

8

Après avoir avalé un hamburger, une portion de frites et un grand Coca, Jean-François Morel rentra chez lui. Il ramassa le linge qui traînait par terre, le fourra dans un sac, et se prépara un Nescafé dans sa minuscule cuisine.

Il avait passé une partie de la journée à visiter deux expositions dont il rendrait compte dans la rubrique « Sorties » ; une expo de photos de Marc Riboud, et une autre sur les « petits maîtres » flamands et hollandais du XVIIIe et du XIXe.

Sa tasse de Nes à la main, il réfléchissait à la meilleure façon d'entreprendre ses recherches. Il n'était pas spécialisé dans les investigations ; d'une nature plutôt fataliste, il attendait en général que la vie fasse le pas suivant. Même dans ses papiers il ne s'engageait pas ; il se contentait de décrire, de situer, d'inciter les gens à sortir de chez eux. Il n'était pas non plus doué pour le mensonge et la négociation. Il se tenait à l'abri dans son travail, comme un escargot dans sa coquille.

Depuis la veille, des forces confuses l'agitaient. Il se sentait troublé.

D'abord par la romancière chinoise qu'il trouvait belle — il adorait le cinéma chinois — et par cette histoire de meurtres. Il y avait là matière à changer complètement de décor. Il était déconcerté par sa propre excitation. Il s'installa devant son ordinateur, posa sa tasse près du clavier et disposa le livre d'Hélène Wang de façon à contempler sa photo en quatrième de couverture.

Il alluma une cigarette, fumant par petits coups, fixant l'écran vide de ses yeux mi-clos. Il écrasa le mégot dans un cendrier, mit ses lunettes et fouilla dans une pile de disques compacts à la recherche des archives du journal. Les dix années passées tenaient en trois disques. Il introduisit le premier dans le lecteur et appela la fonction de recherche.

Une heure plus tard les lignes se brouillaient devant ses yeux et il dut s'avouer qu'il n'avait rien trouvé de motivant. A Lyon les crimes ne manquaient pas, mais c'est dans la Dombes qu'il avait concentré ses recherches — la région qui intéressait la romancière.

Peut-être suivait-il à l'aveuglette une piste inutile ? Peut-être s'était-il monté la tête ? Peut-être était-il victime du mystère que dissimulait le charme asiatique, à mi-chemin entre réalité et imagination ?

Il fut distrait par un camion de pompiers, sirène hurlante, qui passait dans sa rue. Il se leva pour regarder dehors, sans très bien savoir ce qu'il espérait découvrir.

Il retourna dans la cuisine mettre de l'eau à chauffer. Rien dans les dix précédentes années ; c'était donc au journal qu'il allait falloir examiner, numéro par numéro, le reste de la collection. Un travail de Romain qui demanderait des nuits, à moins d'avoir la chance de tomber très vite sur le bon numéro.

Il étira ses muscles et bâilla. « Que ferait un vrai journaliste d'investigation ? » se demanda-t-il.

« Un vrai journaliste d'investigation, s'entendit-il répondre, aurait recours à des “sources” ; informateurs, taupes, gendarmes, flics. Dieu sait quoi encore ! »

Il chercha parmi ses confrères qui pourrait lui rendre un tel service. Quelqu'un à qui il renverrait l'ascenseur.

Il éteignit le feu sous la casserole et versa deux cuillerées de Nescafé dans sa tasse avant de la remplir d'eau bouillante. Il retourna à son bureau et ouvrit son carnet d'adresses. Il était à peine vingt heures, et les rayons du soleil illuminaient les hauteurs de la ville.

Un peu d'obstination, Jeff, se dit-il, avec un sincère élan de compassion pour lui-même.

*

En sortant du café, Hélène ne se dirigea pas immédiatement vers sa voiture. Le soleil était encore chaud, et une brise d'ouest s'était levée. Un voile nuageux montait à l'horizon, annonçant un temps couvert pour le lendemain.

Elle pensa avec amertume qu'elle n'avait décidément aucun flair pour deviner quand on la prenait en filature. Elle avait envie de prendre ses jambes à son cou, mais se comporter comme un animal effrayé ne lui paraissait pas être la meilleure solution.

Elle s'assit sur un banc et s'efforça d'analyser la situation. C'était une singulière partie de cache-cache : elle à tâtons dans le noir, et lui avec une paire de jumelles à infrarouges. Comme dans *Le Silence des agneaux*, se dit-elle.

En mentor attentif et courtois, il s'amusait à la prendre par la main. La situation était irréelle. S'il tentait le risque de la guider, s'il lui donnait une chance infinitésimale de surprendre son apparence réelle, cela signifiait que le temps lui était compté. Il ressentait l'urgence d'une situation qu'il avait lui-même créée. Il ne fallait pas qu'Hélène traîne en longueur à découvrir ce qu'il voulait qu'elle découvre : « Bientôt peut-être, dans une autre forêt, une autre jeune fille avec de beaux yeux clairs croiserait son chemin », avait-il annoncé.

Il était pressé, très pressé, mais dépourvu d'inquiétude. Sans doute repassait-il dans sa tête l'agonie de sa prochaine victime, impatient de se trouver de nouveau à pied d'œuvre, de donner libre cours à sa perversion.

Il y avait autre chose dans sa manœuvre ; quelque chose de plus intime, comme un dialogue chuchoté, l'affrontement de deux esprits, de deux personnalités qui se seraient défiées pour le plaisir.

Il connaissait son incontestable supériorité. Il était brillant, audacieux, lucide ; un maître sans grade, ignoré, mais reconnu par une entité bien au-dessus de la pitoyable société des hommes.

Hélène Wang, la romancière que souillait la satisfaction grossière du succès, n'était pas de taille face à cet acteur de l'ombre.

Pourquoi se donne-t-il tant de mal ? Joue-t-il cette partie pour me perdre en sortant des ténèbres ? Me réserve-t-il l'exclusivité de ses « mémoires » ? Ou me conduit-il comme une aveugle vers la tombe qu'il a creusée pour moi ?

Elle sortit de sa réflexion pour regarder la carte qu'elle tenait à la main : « Le Brochet bleu. » En face d'elle, une fontaine laissait couler un filet d'eau dans un bassin. Malgré ses incertitudes, elle se leva avec une expression décidée et redressa son sac à dos d'un coup d'épaule. Elle avait le temps de visiter la réserve aux oiseaux. Il était trop tôt pour aller dîner au Brochet bleu.

*

Jeff Morel se rendit compte que son café avait refroidi. Il s'appuya au dossier de sa chaise. En moins de vingt minutes, après trois appels, et grâce à des embrouilles qu'il se serait cru incapable d'inventer, il avait un nom et un numéro de téléphone. Edith Jacobsen, une consœur qui couvrait les procès, les lui avait communiqués. Cela lui avait coûté deux places pour la dernière représentation de *Conversation après un enterrement*, une pièce de Yasmina Reza qui se jouait à guichets fermés.

Il décida de ne pas perdre de temps et composa le numéro du portable d'un flic à la retraite, ancien inspecteur au SRPJ de Lyon. Un contact mineur pour sa consœur, mais un premier point d'appui pour son enquête.

L'inspecteur décrocha à la première sonnerie.

— Bonsoir, monsieur Tisserand, je m'appelle Jean-François Morel et je suis journaliste au *Progrès*. C'est Edith Jacobsen qui m'a dirigé sur vous.

— Qui avez-vous dit ?

— Jacobsen, Edith.

— Qu'est-ce que je peux faire pour vous ?

— Un simple renseignement mais je préférerais ne pas en parler au téléphone. Quand est-ce que nous pourrions nous rencontrer ?

Il y eut un silence, puis :

— Ce soir. J'ai un moment.

— D'accord. Où peut-on se voir ?

— A l'Espace, c'est une brasserie place Bellecour.

Jeff regarda sa montre.

— Je peux y être à neuf heures et quart. Comment on se reconnaîtra ?

— Ayez *Le Progrès* à la main, je vous ferai signe.

Robert Tisserand avait les cheveux teints, une moustache roussie par le tabac, le visage parsemé de taches, et semblait souffrir de la chaleur.

— Je peux voir votre carte de presse ? demanda-t-il à Morel après que celui-ci se fut affalé sur sa chaise.

Le garçon apporta la bière que l'inspecteur avait commandée.

— Même chose, dit Morel.

Tisserand attendit que le garçon s'éloigne pour examiner la carte que Jeff avait posée sur la table. Il hocha la tête, puis savoura une longue gorgée de sa bière. Du revers de la main il essuya la mousse sur sa moustache et s'enfonça dans la banquette en regardant le journaliste.

— C'est quoi votre spécialité ?

— Expos, pièces de théâtre, cinéma... Je m'occupe de la rubrique « Sorties ».

L'ancien flic paraissait froid et plein d'assurance.

— Voilà, dit Morel, j'aimerais savoir si vous vous souvenez de meurtres qui se seraient produits dans la Dombes il y a plus de dix ans.

L'inspecteur sembla méditer sur cette question. Il sortit un paquet de cigarettes de sa poche et en alluma une ; il attendit que la fumée se dissipe pour demander :

— Pourquoi plus de dix ans ?

— Durant les dix dernières années, il n'y a rien dans les archives du journal.

— En quoi ça peut vous intéresser, qu'il y ait eu des crimes ou non ?

Il s'était exprimé avec méfiance. Jeff avait préparé sa réponse. Il y avait réfléchi dans la voiture en venant au rendez-vous.

— Je suis en train d'écrire un polar, dit-il. L'action se situe dans la Dombes, et j'ai besoin de matériel authentique. Je n'ai pas beaucoup de temps pour effectuer moi-même les recherches. J'ai pensé que vous pourriez m'aider.

Tisserand hocha la tête.

— Je peux. J'étais en service à la brigade il y a plus de dix ans.

Il eut un rire sec, dépourvu d'humour.

— Quel genre de crimes vous intéresse ?

Morel eut un geste vague.

— Le genre que les lecteurs aiment trouver dans les polars ; quelque chose de sanglant ; un truc qu'on a classé sans avoir trouvé l'assassin ; des morts suspectes...

Le garçon était revenu avec la bière de Jeff, qui se mit à boire à petites gorgées, en observant l'inspecteur. De ses doigts osseux jaunis par la nicotine, celui-ci se grattait la tempe. La bouche entrouverte, il laissait sortir la fumée de sa cigarette par le nez. Jeff se contentait d'attendre, quand il s'avisa qu'il pouvait donner au flic l'information fournie par la Chinoise.

— Le décor, j'ai envie de le situer près de la réserve des oiseaux, du côté de Villars, Bouligneux... ce coin-là.

Tisserand vida son verre, puis son regard parcourut la salle comme s'il était à la recherche d'un visage connu. Quand ses yeux revinrent sur le journaliste, il paraissait perplexe.

— C'est drôle que vous me parliez de la réserve aux oiseaux.

Pour ne pas montrer son excitation, Morel appela le garçon et commanda deux autres bières.

— ... Bon Dieu, cette histoire, y a bien quinze ans au moins...

Il parlait à voix basse, comme s'il avait craint qu'un autre que Morel ne l'écoute. Il finit par lancer au journaliste un regard curieux, cherchant à lire dans ses pensées. Il tira une dernière bouffée de sa cigarette qui était sur le point de lui brûler la moustache.

— Vous vous souvenez de quelque chose ?

— Le gars était fou à lier, ajouta l'ancien inspecteur. C'est ce qu'à l'époque tout le monde disait.

Morel constata :

— Ça a plutôt l'air de vous remuer...

— Oui, hein. Les souvenirs d'un flic...

— Vous voulez bien m'en parler ? On peut commander quelque chose si vous avez faim.

— C'est une idée. Ils ont une très bonne andouillette.

*

Quand Hélène se gara devant le Brochet bleu, il était presque huit heures et demie. Le restaurant était une longue bâtisse au toit couvert de tuiles, juste à la sortie de Villars. Les volets, la clôture, tous les éléments en bois étaient peints d'une couleur bleue « azulejo » ; de nombreuses bicyclettes, également bleues, s'alignaient devant l'établissement. La salle s'ouvrait sur un jardin entouré de rosiers où l'on avait installé des tables et des parasols ; les clients étaient attablés dans la salle et à l'extérieur.

Hélène s'installa sur la terrasse. Elle commanda un poulet fermier rôti aux cèpes et une eau minérale, et se mit à examiner les dîneurs. Elle doutait que l'homme ait poussé l'audace jusqu'à s'asseoir à une table voisine.

En descendant de voiture, elle avait repéré la forteresse de Bouligneux dont la silhouette se détachait au loin ; malgré le bruit des conversations et les cris des enfants impatients de goûter aux cuisses de grenouilles, elle entendait le vacarme des oiseaux.

La position du Brochet bleu, entre Villars et Bouligneux, si on la rapprochait des détails fournis par l'assassin, indiquait que les crimes avaient été commis dans son voisinage.

Au fond de la salle, assise derrière la caisse, trônait une petite femme terne, vêtue d'une robe noire à manches longues boutonnée jusqu'au col. Probablement la mère Solange, songea Hélène.

Elle décida d'attendre que le restaurant se soit vidé pour tenter d'obtenir des informations.

Fatiguée, elle toucha à peine à son plat. Elle en profita pour consulter ses messages. Elle ne répondit qu'à l'appel de ses parents.

— Pourquoi ne viens-tu pas nous voir le week-end prochain ? lui dit sa mère. La météo prévoit du beau temps.

— Je ne peux pas pour l'instant, maman. Je suis désolée.

— Tu travailles toujours autant ? Ton père dit qu'il n'a jamais vu quelqu'un travailler comme toi. Tu viendras en août alors ?

— Je ne sais pas encore.

— Qu'est-ce que nous sommes supposés faire, ton père et moi ? Passer tout l'été en tête à tête ?

— J'essaierai, maman. Papa est là ?

— Non, il est sorti faire sa promenade. Il est au régime et ne fume plus. Il a très envie de te voir. Enfin, j'espère que tu pourras venir.

Il y eut un silence, et Hélène se rendit compte que sa mère était sur le point de pleurer.

— Je serai là, maman. Je te promets.

— Hélène ?

— Oui, maman.

— Tu es sûre que tout va bien ?

Peu à peu, la clarté voilée du crépuscule donnait à la campagne un aspect irréel. Les insectes tournoyaient dans le halo des lampes, et le parfum des rosiers qui jusque-là imprégnait le jardin s'évanouissait. La nuit s'installait.

Après avoir raccroché, Hélène s'aperçut qu'elle s'était laissé aller à la dérive sans s'en apercevoir, emportée dans un trouble qui l'avait menée loin d'ici, loin de ces meurtres, dans un soulagement proche de l'oubli. Elle secoua la tête et regarda autour d'elle. Il ne restait que deux tables occupées. Le moment lui parut propice pour essayer d'obtenir de la mère Solange ce que le meurtrier voulait à tout prix qu'elle découvre.

*

Tisserand, qui avait avalé coup sur coup plusieurs verres de vin blanc, fit signe au garçon d'apporter une nouvelle bouteille.

Morel s'était contenté d'écouter des banalités ; il se demanda avec inquiétude s'il pourrait faire passer l'addition sur sa note de frais. Quand il estima la seconde bouteille de vin suffisamment entamée, il demanda avec un air de sympathie complice :

— Alors, inspecteur, parlez-moi de ce meurtre.

— Ces meurtres... deux... je m'en souviens très bien.

Il but une gorgée de vin, se gratta un sourcil, prolongea la pause.

— Je vous écoute.

— La femme, je sais pas ce qu'elle avait fait, mais d'après les collègues chargés de l'affaire, c'était pas beau à voir. L'assassin l'avait ouverte en deux comme un cochon.

— Vous voulez dire... en deux morceaux ?

— Ah ça, je sais plus. Mais je crois pas.

— Et vous l'avez attrapé ?

— Y a même pas eu besoin. Il s'est fait hara-kiri dans la pièce à côté. C'était le mari. Un type sans problème à ce qu'il paraît ; serviable, bon voisin. Il a tué sa fille et sa femme, puis il s'est suicidé en s'ouvrant le ventre.

— Il avait une fille ?

— Une gamine. Il a dû faire disparaître le corps parce qu'on l'a jamais retrouvé.

Morel remplit son propre verre et l'avala d'un trait, impressionné par son excursion dans le monde du crime.

— Massacrer sa propre famille !

L'inspecteur acquiesça. Il se versa encore un verre de vin, pris d'une soif subite. Morel pensait qu'il était sur la bonne voie. Il trouvait ça plus excitant que la plupart des expositions.

— On sait pourquoi il les a tuées ?

— Je ne me rappelle pas qu'on ait trouvé d'explication. On a dû faire les recherches habituelles : amants, maîtresses, cartes de crédit, relevés bancaires, détournements ; le bazar, quoi. Mais bon, le gars a pété un plomb, ça arrive ; comme journaliste, vous êtes bien placé... non ?

Morel fit un vague geste. Derrière ces trois morts, il y avait une tragédie familiale, et peut-être matière à roman pour Hélène Wang. L'affaire remontait à quinze ans, ce qui mettait la romancière à l'abri des critiques que son dernier livre avait soulevées. Ce n'était plus de l'actualité, et c'est précisément ce qui intéressait la Chinoise !

Morel réfléchissait à ce qu'il pouvait tirer de l'information. Il en savait trop peu pour se faire une idée précise ; il fallait aller en profondeur, rechercher les détails. Ce n'est qu'après qu'il pourrait décider.

Le vin semblait avoir plongé Tisserand dans la vision de jours meilleurs où il jouissait d'une parcelle de pouvoir et d'autorité.

— Ce sont les seuls meurtres que vous vous rappelez ?

L'inspecteur mit quelques secondes à répondre :

— Pourquoi, ça vous suffit pas ?

— Si, si. Vous pensez que je pourrais avoir une copie du dossier ?

— Ça dépend.

Tisserand le toisait avec la tranquille méfiance du flic habitué aux entourloupes.

*

Elles étaient assises à une table, dans un coin retiré de la salle.

— Je peux vous offrir quelque chose ? demanda la mère Solange.

— Non, merci, dit Hélène. Il est tard, je ne vais pas tarder à rentrer à Lyon. Il faut encore que je trouve une chambre d'hôtel.

— Vous pouvez prendre une chambre ici. J'en ai une de libre. Comme ça, demain matin vous partirez reposée.

— Vous les connaissiez bien ?

La mère Solange joua avec la petite croix en or qu'elle portait autour du cou.

— Comme clients, oui, précisa-t-elle. Ils venaient à peu près tous les dimanches. René et Marie-Ange Ravenne. Je me souviens aussi de la petite : les cheveux bouclés, de grands yeux. Très polie.

— Elle s'appelait Lénore, vous en êtes certaine ?

— Oui, Lénore. Pas Eléonore. On la connaissait bien... Pauvre gosse.

— Le père, de quoi avait-il l'air ?

— Je ne me rappelle plus son visage. La cinquantaine, un monsieur comme il faut, discret ; la mère, toujours élégante. Ça nous a fait un coup quand on a appris le drame.

— Les journaux en ont parlé ?

— Deux ou trois jours. Lui a eu un accès de folie, c'est ce que la police a dit.

— Et depuis quinze ans, à part moi aujourd'hui, personne n'est venu vous questionner à leur sujet ?

— Les week-ends qui ont suivi, il y a bien eu quelques touristes attirés par les crimes... Mais bon, on était en fin de saison...

La vieille femme appuya ses coudes sur la table et se pencha vers Hélène :

— ... Un policier en civil est revenu plusieurs fois, dit-elle d'une voix confidentielle.

Hélène dissimula sa surprise.

— Pourquoi ?

— Il trouvait qu'il y avait quelque chose de louche. Il cherchait des témoignages.

— Quel genre de témoignages ?

La mère Solange fit signe à l'un des garçons occupé à dresser les tables.

— Je vous fais préparer la chambre ?

Hélène jeta un coup d'œil à sa montre.

— D'accord.

— Où est-ce que j'en étais ? reprit la vieille après avoir donné ses instructions.

— Vous disiez qu'un policier était à la recherche de témoignages.

— Oui, c'est ça. Il voulait savoir si le garçon qui s'occupait de leur table se souvenait de ce qu'ils se disaient, sa femme et lui.

La mère Solange regarda la jeune femme aux cheveux noirs qui l'observait de ses grands yeux sombres ; de légers cernes d'insomnie se dessinaient sur la peau pâle de ses pommettes.

— Moi, j'avais trouvé ça plutôt curieux par rapport à cette histoire horrible : figurez-vous qu'il cherchait à savoir si le garçon avait surpris dans la conversation des Ravenne des allusions à un corbeau. Bizarre, non ?

Le gros de l'orage était passé. Le bruit de la pluie ruisselait encore sur les vieilles tuiles. On entendait de temps à autre, plus à l'est, le roulement lointain du tonnerre. Dans sa chambre, Hélène réfléchissait aux implications de ce qu'elle avait appris. La mère Solange avait promis de chercher dans ses papiers la carte de visite du policier qui ne partageait pas les conclusions de ses collègues.

Il était dans le vrai. Il était le seul, avec l'assassin, à avoir parlé du « corbeau ». Retrouver cet homme était sa prochaine priorité.

Le fait que les crimes se soient produits quinze ans auparavant lui révélait un aspect de la psychologie de l'assassin. Ce recul ne comptait pas. C'était hier qu'il avait commis ses meurtres, et leur souvenir demeurait étrangement frais dans sa mémoire.

D'un point de vue purement réaliste, sa « vengeance » était totale. Il avait supprimé une famille et échappé à la police ; pour autant, il n'en avait tiré aucun apaisement. Un homme dangereux, prévoyant, et remarquablement habile.

Elle avait eu assez d'émotions pour la journée. Elle éteignit la lampe de chevet et tira les draps sous son menton. Elle s'efforça de faire le calme dans son esprit. Ses paupières se fermèrent comme si elle essayait de tourner une page sur ses souvenirs...

... Shanghai... la rivière... les buildings dont les néons se reflétaient sur l'eau noire de la rivière... les voitures de police aux carrosseries luisantes et sombres... les lumières bleues et blanches qui tournaient comme des stroboscopes sous la pluie battante... les curieux maintenus dans l'ignorance de ce qui se déroulait... C'était comme un trait de lumière sous une porte. Elle écoutait mais ne percevait rien, à part le bruit de sa propre respiration. La scène ressemblait à un plateau de cinéma. Des câbles noirs serpentaient jusqu'à une batterie de projecteurs ; ils déversaient une lumière éblouissante et donnaient un caractère irréel aux personnages qui évoluaient. Les bruits semblaient amortis, dans l'attente d'un signal. Hélène avançait, prenant garde de rester dans l'étroit passage phosphorescent. Elle se tenait immobile, à quelques mètres de l'embrasure d'une porte dont les gonds avaient dû être descellés par ceux qui cherchaient à savoir ce qu'il y avait de l'autre côté. Des éclats de bois clair saillaient du chambranle, crevant la couche de peinture noire fendillée. Elle avait soulevé le rideau qui isolait la pièce. Des lueurs bleutées apparaissaient sur le sol : des traces de sang révélées par un produit chimique. Il y en avait partout. Le policier chinois en civil lui avait fait signe de rester là où elle se trouvait. Elle avait profité de cet instant pour respirer profondément, absorber les dernières particules d'oxygène non souillées, comme dans un sas de décompression qui fonctionnerait à l'envers. La voix du policier avait retenti, à la fois assurée et rendue rauque par la nervosité.

— Ils ont terminé. J'ai besoin de savoir si c'est bien Zhang Ling qui se trouve dans cette pièce.

Hélène restait plantée dans l'embrasure de la porte. Les murs étaient peints en rouge foncé, le plafond en noir. Le sol en béton était couvert d'immondices, de restes avariés difficilement identifiables. Sur sa gauche, un lavabo et un urinoir ; une douche carrelée de blanc lui parut d'une propreté remarquable. Un miroir était appuyé contre l'un des murs. Face à elle, un étrange appareil qui ressemblait à un cheval d'arçon. Elle ne pouvait détacher son regard des images cauchemardesques qui l'entouraient de toutes parts. Partout sur les murs étaient épinglées des photos d'adolescentes, visiblement découpées dans des ouvrages de pornographie. Certains corps avaient été reconstitués. Un assemblage disparate de torses, de têtes, réunis dans des positions grotesques. Une atmosphère confinée baignait la pièce. Une odeur pestilentielle, sous la chaleur des projecteurs, s'insinuait partout. Elle se rendit compte qu'elle ruisselait de sueur sous ses vêtements. Une sensation d'étouffement l'avait saisie, mais elle s'était forcée à faire un pas en avant. On avait tiré un paravent de toile et elle dut s'avancer jusqu'au milieu de la salle pour découvrir le reste du spectacle. Deux planchettes de bois éclaboussées de sang et percées de trous pour y passer bras et jambes étaient attachées par des anneaux au mur. Une lampe à pétrole et un bidon qui devait contenir du combustible étaient rangés dans un coin ; à côté, une écuelle d'eau et un bol de riz moisi. Elle s'était décidée à tourner la tête. Un poing géant s'était refermé sur elle. Un voile palpitait devant ses yeux, et elle avait dû se cramponner à ce qui lui restait de sang-froid pour ne pas perdre connaissance. Du coin de l'œil, elle avait vu les policiers ; ils lui paraissaient sans certitude, presque sans visage, au travers d'un épais brouillard. Comme si elle enregistrait sa propre voix, elle entendait la sienne résonner dans sa tête.

« Ce mur est couvert de peinture blanche. Le sang s'étale partout. Les éclaboussures ressemblent à des insectes. Il y a aussi des traînées rouge pâle ; elles ont goutté sur le sol et formé de petites flaques. La pierre poreuse s'est imprégnée, comme les bords d'un lac desséché s'imprègnent des premières pluies. Certaines flaques sont encore fraîches. Le corps est distendu, chevillé au mur. Un instrument à lanières se trouve sur le sol ; on s'en est servi pour la battre à mort. Des plaies béantes marquent ses seins. Une bête semble s'être échappée de son ventre. Il est resté insensible à ses plaintes, à ses gémissements. Mon Dieu, aidez-moi ! Je n'ai pas le courage de croiser son regard. Ses joues sont couvertes de larmes séchées. C'est elle, c'est Zhang Ling ! »

L'assassin la regardait en souriant. Encadré par deux policiers, il se tenait dans un coin de la pièce, couvert de sang. Son visage était maquillé comme celui d'une prostituée. Soudain, il s'avança dans sa direction. Les policiers étaient immobiles, pétrifiés. Elle le vit défaire ses menottes.

D'un coup, la lumière s'éteignit. Elle ne distinguait que les phosphorescences sur son corps. Il s'approcha. Il flottait dans le noir... Il dansait...

Tout s'effaça et elle ouvrit les yeux. Elle était couchée sur le côté, dans une chambre du Brochet bleu. Le sang battait à ses tympans comme un tambour africain. Elle tenta de mettre de l'ordre dans son esprit, luttant pour ne pas se laisser envahir par la panique. Le cauchemar, toujours le même, la plongeait dans une terreur enfantine. Elle avait froid.

La pluie avait cessé. Elle éprouvait une sensation bizarre, comme si quelqu'un était allongé contre elle. Elle demeura immobile, retenant sa respiration. Quelque chose était là ! Tout près ! Un souffle glacé dans son dos ! Elle se sentit gagnée par une terreur panique. « C'est ce cauchemar, juste ce cauchemar. Ce n'est pas la première fois. Calme-toi, Hélène. Il n'y a personne. Les choses sont pareilles qu'en plein jour ; c'est simplement le noir qui t'effraie », se dit-elle, posant une main sur son cœur.

Le vide demeurait rempli. Pourtant, elle n'avait rien entendu. Soudain, elle sentit un poids l'écraser. Quelque chose la serrait à la gorge ; elle était incapable de crier. Elle crut qu'elle allait s'évanouir. Le souffle était près de sa tempe, de son oreille.

— J'ai beaucoup de sympathie pour vous, madame Wang, mais je ne peux pas me permettre de vous laisser crier. Qui sait, peut-être vous entendra-t-on !

La voix était méconnaissable.

— Je veux bien retirer ma main si vous acceptez de ne pas hurler. Dans le cas contraire, je vous tuerai.

Elle savait qu'il lui fallait garder son sang-froid si elle voulait rester en vie. Elle hocha la tête et la prise se desserra. Elle sentait comme une brûlure sous le menton. Elle comprit qu'il la piquait avec la pointe d'un couteau.

— Qu'est-ce que vous me voulez ?

Sa propre voix lui parut venir d'ailleurs

— Asseyez-vous sur le bord du lit... lentement, ordonna-t-il.

Il s'était redressé. Il la guidait de son arme, tel un animal qu'on dirige vers l'abattoir avec un aiguillon.

— Vous êtes intelligente et très obéissante, vous savez.

L'obscurité ne permettait à Hélène que de distinguer le contour des meubles. Il se tenait collé à elle. Il lui caressait l'épaule, en murmurant à son oreille :

— Vous êtes nue et très désirable. Je pourrais vous violer, m'amuser avec vous, puis vous tuer. Je vous attacherais et je vous bâillonnerais. La police vous trouvera étouffée ; on pensera au crime d'un rôdeur. Ils sont partout.

Elle tenait ses bras serrés sur sa poitrine. Il l'avait manipulée comme un enfant. Elle serra les dents pour les empêcher de claquer. D'instinct, elle devinait qu'il lui fallait parler, engager la conversation. C'est pour ça qu'il s'était introduit dans sa chambre. Du fond de sa terreur, naissait à présent un courage dont elle ne se serait pas crue capable.

Elle demanda :

— Pourquoi avez-vous tué ces gens ?

Elle attendait sa réaction. Elle perçut un déplacement. Il s'était levé. Elle n'osait plus regarder. Pour l'obliger à lever la tête, il enfonça un peu la pointe du couteau. Son souffle était plus court. Il se tenait face à elle ; une silhouette désincarnée, une ombre parmi les ombres.

— C'était une promesse. Je ne pouvais pas me permettre de les laisser en vie. Vous comprenez, j'en suis sûr, le sens et la valeur d'une promesse.

Elle s'était trompée sur lui. Il avait besoin qu'on l'admire, qu'elle l'admire. Pour lui, c'était inespéré de pouvoir jouer son rôle en toute impunité, devant elle, réduite à l'état de proie.

— C'est votre excuse ?

— Ils ont vu la mort arriver. Mais qui ne la voit pas ? Je ne peux pas vous en dire plus ce soir. En fait... vous avez raison. Ce n'est pas une excuse. J'ignorais le trésor qui s'offrait à moi. C'est une métamorphose, Hélène...

Il respirait son odeur. Elle avait peur et il aimait ça. Il était très excité, sa main tremblait. Elle continua sur un autre terrain, espérant ne pas accélérer la remontée de ses fantasmes.

— Comment s'appelle la prochaine ?

Il comprenait à coup sûr sa tentative, mais son habileté à tromper tout le monde avait aussi besoin d'une reconnaissance, avant de graver une nouvelle entaille sur le manche de son poignard.

— Je vous en prie, j'ai besoin de savoir.

Il lui fallut plusieurs secondes pour réagir ; manifestement il pesait le pour et le contre. Puis il parla comme s'il lui offrait son petit verre de rhum. Entendre sa propre voix l'aidait peut-être à réfléchir.

— Je ne peux pas vous donner son nom, mais j'ai de grands projets pour elle. L'inspiration, c'est une émotion qui vous est familière. J'ai l'intention de faire d'une pierre deux coups. Votre venue m'a inspiré. Je vais vous fournir le thème de *notre* prochain roman, et si vous coopérez — je ne crois pas d'ailleurs que vous soyez en mesure de refuser —, je vous promets de l'épargner. Vous êtes corrompue mais vous avez du talent. Je crois que nous ferons un livre hors du commun ; un « best-seller », dans le jargon des maisons d'édition.

— N'y comptez pas !

En une fraction de seconde il l'avait saisie de sa main libre et comprimait les artères de son cou, étouffant dans sa gorge ce qu'elle s'apprêtait à dire. Il l'asphyxiait silencieusement ; sa tête devenait lourde. Les ombres tournoyaient autour d'elle. Elle n'essayait pas de se défendre. Il se mit à rire, d'un rire humide, comme s'il avait perdu la raison. Mais Hélène savait qu'il n'était pas fou.

— Ecoutez-moi ! Cette création a besoin de deux parties. Alors le jeu se répète encore et encore et je vous dirai quand il sera fini !

Sa voix n'était plus la même. Il la poussa en arrière, fermement mais sans violence. Le silence revint. Tout en cherchant son souffle, elle tâtonna jusqu'à trouver l'interrupteur de la lampe de chevet.

Il était parti. Le brouillard se dissipait dans sa tête ; de nouveau elle arrivait à compter les battements de son cœur. Un flot de larmes la submergea. Lorsqu'elle retrouva son calme, sa première pensée fut qu'elle avait oublié de lui parler du « corbeau ».

9

Sur la A404, les voitures roulaient au pas. Michèle Masson regarda sa montre. Elle était en retard sur son horaire journalier. Elle espérait que Laura ne s'inquiéterait pas. Elle avait supervisé un changement de moule sur une ligne d'injection de montures de lunettes, et l'opération avait traîné. Maintenant il y avait cet orage, et elle avait hâte d'arriver chez elle pour annoncer à sa fille la bonne nouvelle. Elle avait finalement eu gain de cause après plusieurs mois ; à coups d'heures supplémentaires et de week-ends gâchés, sa promotion était signée. Dès le mois prochain elle prendrait en charge le département du contrôle de la qualité ; le directeur technique le lui avait confirmé.

Elle arriva à Nantua à huit heures quarante-cinq. Elle habitait un petit pavillon en bordure de la vieille ville. En pénétrant chez elle, Michèle fut surprise par un silence qui lui parut bizarre : elle était habituée aux vibrations de la musique que Laura mettait à fond.

« Laura », appela-t-elle. Il n'y eut aucune réponse. La table n'était pas mise, et même si c'était les vacances, sa fille avait pour consigne de rentrer au plus tard à huit heures et de disposer le couvert. Elle décida de préparer le dîner. Elle mit de l'eau à chauffer, se versa un verre d'une bouteille de chardonnay entamée, et sortit du congélateur un paquet de raviolis aux épinards.

A onze heures du soir, morte d'angoisse et après avoir téléphoné aux amies de sa fille, elle se décida à prévenir les gendarmes.

10

Sa peau était chaude comme si elle avait pris un bain de soleil en plein été. Cette chaleur n'avait aucune cause extérieure. Elle percevait le bruissement des vagues au bord de la plage. Elle voulait crier, se débattre, refuser, mais elle était incapable du moindre mouvement. Dans une sorte d'indifférence, elle réalisa qu'il lui avait lié les poignets. Elle le vit lui retirer son corsage, lui enlever ses sandales et la débarrasser de son jean. Sa peau luisait comme un miroir et elle distinguait l'ombre de son visage. Il était penché sur elle. Un instant elle s'imagina être au milieu de l'océan, luttant contre les vagues, entourée de phosphorescences, de frôlements. Elle sentit qu'il l'attrapait par la taille et qu'il pressait son corps contre le sien. Elle respirait doucement, la bouche entrouverte, puis un courant sombre l'entraîna.

La drogue l'avait transformée en une bête disciplinée, un esprit domestiqué prisonnier d'une hallucination. Elle crut entendre prononcer son nom :

— Laura, Laura, mon amour.

C'était si simple de les attirer ; elles étaient jeunes, sans méfiance et sans imagination. Elle était là, étendue sous lui. Son impatience, qui avait failli tourner à l'obsession, trouvait sa récompense. En fait, il avait perfectionné le jeu avant de laisser sa nature s'exprimer. Il avait la puissance aujourd'hui. Que faisait-il de mal après tout, quand le monde entier sombrait dans la violence ! Qui se souciait de ces enfants massacrés dans ces pays d'Afrique aux noms imprononçables, qu'on ramassait au bulldozer ! Des guerres tribales, disait-on. Des règlements de comptes, depuis des générations, sous l'œil placide des téléspectateurs.

C'était un fait de la vie moderne. Qui se souciait de l'orque dévorant le phoque ou du rapace déchiquetant l'oisillon ? Qui se souciait des massacres de Bosnie, du Kosovo, en dehors de ceux qui étaient massacrés ?

Il regardait la silhouette gracile qui depuis plus d'une heure était l'objet de ses étreintes. La fille était défoncée à mort ; quand elle se réveillerait elle ne se souviendrait de rien. Son corps se souviendrait de la drogue et elle reviendrait le voir.

Elles revenaient toutes.

11

— Voilà les photocopies du dossier, dit Tisserand, énumérant les pièces qu'il avait sorties d'un vieux cartable posé à ses pieds.

L'affaire Ravenne n'avait pas généré une masse importante de documents ; transcriptions du rapport des gendarmes arrivés sur les lieux ; transcriptions des rapports d'enquête des inspecteurs de la brigade criminelle de Lyon ; rapport du médecin légiste, etc.

— La routine, constata l'ancien flic.

Le journaliste parut surpris. Il s'attendait à quelque chose de plus gros, de plus lourd, comme si l'épaisseur du dossier de police reflétait l'importance qu'on donnait aux morts.

On imaginait de beaux insignes bien astiqués, du café chaud, la discipline, l'honneur, et le respect des citoyens au-dessus de tout soupçon. Tisserand lui révélait un univers sordide et corrompu.

Ils déjeunaient — un McDo pour Morel, un bayonne-beurre pour Tisserand — assis sur un banc à l'ombre.

— Lisez ça ! C'est une demande adressée au ministre de la Justice, dit Tisserand en prenant un document du dossier.

Morel s'apprêtait à mordre dans son BigMac.

— Lisez-la-moi s'il vous plaît, dit-il. J'ai du ketchup plein les doigts.

Tisserand but une gorgée de sa bière, posa la bouteille sur le banc, et lut à haute voix.

— Qu'est-ce que ça veut dire ? demanda Jeff.

— Que René Ravenne ne s'est pas toujours appelé comme ça. Il a demandé à changer de nom après la guerre et sa demande a été acceptée.

Jeff posa ses coudes sur ses genoux et examina son McDo.

— Vous croyez que ça a un rapport avec l'affaire ?

— Sûrement que non, vu qu'au moment de l'enquête les flics de la brigade n'ont pas trouvé ça suspect.

Il faisait chaud. Morel n'avait plus faim. Un peu écœuré, il mit le reste de son BigMac dans un sac en papier. Il n'avait pas touché aux frites. Il s'essuya les mains et regarda le fleuve. Un instant il s'imagina sur une plage déserte, lointaine, noyée de soleil, courant à la rencontre d'une fille nue et bronzée qui lui tendait les bras.

Il aspira une gorgée par la paille qui pointait hors du gobelet et n'obtint qu'un gargouillis.

— Je vais me chercher à boire. Vous voulez une autre bière ?

L'inspecteur secoua la tête ; il mastiquait lentement chaque bouchée de son sandwich.

Morel se leva. Il fit une boule du sac qui contenait les restes de son repas et la jeta dans une poubelle. Il se dirigea vers un vendeur ambulant de l'autre côté du boulevard et lui acheta un soda.

Ainsi Guillaume Desmeuraux, né le 27 mars 1927 à Marseille, avait demandé à ce que son nom soit changé en René Ravenne.

Jeff haussa les épaules. En 1945, les gens pensaient autrement, se dit-il ; lui, il aurait préféré s'appeler Guillaume Desmeuraux que René Ravenne.

Il se livra à un rapide calcul mental : Ravenne avait tué sa femme le 9 septembre 1985, il avait donc 58 ans.

Il retourna s'asseoir. Tisserand avait terminé son sandwich et sa bière ; il fumait un cigarillo bon marché, les jambes étendues. Morel, qui sentait son estomac gonflé, avait toujours soif.

« Dieu sait quelle saleté ils peuvent bien foutre là-dedans », murmura-t-il, en ouvrant sa boîte de soda.

Il commença à feuilleter le dossier. La transcription du rapport du gendarme Bonnet qui avait découvert le corps de Marie-Ange Ravenne donnait froid dans le dos.

« ... La porte de la chambre à coucher était fermée. Le gendarme Mangin s'est placé sur le côté ; il a saisi le bouton de la porte et l'a tourné jusqu'à ce que le pêne soit complètement dégagé de la gâche. Il y a eu un craquement. Il a poussé la porte et s'est replié pour se mettre à l'abri d'un éventuel assaut.

« Le gendarme Mangin a pénétré le premier en balayant de sa torche l'espace devant lui. J'ai trouvé le commutateur et j'ai allumé. La victime, de sexe féminin, reposait sur le ventre. J'ai envoyé aussitôt le gendarme Mangin à la voiture pour faire un appel radio au QG et demander une ambulance. Une traînée sanglante m'a laissé supposer qu'elle avait rampé jusqu'au téléphone pour appeler à l'aide ; l'appareil était à côté d'elle, hors de son support. En écartant ses cheveux, j'ai constaté que le nez et une partie des dents étaient écrasés ; le sang était coagulé en caillots mais la blessure continuait à suinter. Elle avait également une blessure du bas-ventre à l'estomac faite par un instrument tranchant. En l'examinant j'ai distingué des bulles au coin de ses lèvres ; j'ai alors cherché le pouls sur sa carotide droite. Une faible pulsation m'a indiqué que le cœur battait toujours. Le gendarme Mangin, de retour dans la pièce, m'a informé de l'arrivée proche des secours. Nous avons prélevé une couverture sur le lit et nous avons couvert la victime. Lorsque les secours médicaux sont arrivés ils ont constaté qu'elle avait cessé de vivre... »

Morel continua à passer en revue les rapports, y compris celui de la découverte du corps de René Ravenne. Il lui fallut du temps pour se ressaisir après la lecture de ces comptes rendus macabres. Il n'y parvint qu'après avoir allumé une cigarette. Il eut du mal à approcher la flamme, sa main tremblait. Il avait cru un moment se trouver à l'intérieur de la maison, devant la scène du carnage.

Le couple avait une fille de quinze ans, Lénore. Elle avait été portée manquante, et après une année de recherches sans résultats, considérée comme officiellement disparue.

Les inspecteurs du SRPJ de Lyon qui avaient pris la suite de l'enquête avaient conclu qu'elle avait été victime de l'accès de folie de son père, René Ravenne. Dans un réflexe de honte, il avait fait disparaître le corps de sa fille, estimait-on.

Un détail attira l'attention de Morel ; quelque chose de familier. En septembre 1985, l'année du crime, Lénore Ravenne était en troisième au collège de la Croix-Blanche à Bourg-en-Bresse ; son propre collège ! Il trouva la coïncidence curieuse. Il ne se souvenait pas qu'à l'époque la disparition de Lénore ait été un sujet de conversation parmi les élèves. Elle avait certainement manqué la rentrée au lycée, pensa-t-il aussitôt.

Il rangea les documents dans la chemise en carton. Il observa un groupe d'enfants qui jouait dans le square. Les gens glissaient dans leurs baignoires, tombaient dans les escaliers, se faisaient écraser en traversant aux passages cloutés, se dit-il ; par déformation professionnelle les policiers et les médecins légistes allaient chercher midi à quatorze heures pour tout et n'importe quoi. Là, l'hypothèse d'un assassin potentiel, pour improbable qu'elle soit, n'avait jamais été envisagée.

Qu'est-ce qui pousse un homme apparemment sain d'esprit à supprimer sa fille, à éventrer sa femme, et à se donner la mort en s'enfonçant un couteau sous les côtes pour se percer le cœur ?

Mû par une intuition, il jeta sa cigarette et reprit le compte rendu de la perquisition effectuée au domicile de Ravenne. Il parcourut la liste jusqu'à trouver ce qu'il cherchait :

— Dans le placard de la chambre à coucher : un fusil de chasse de calibre 16 à canons juxtaposés de marque Saint-

Étienne, chargé. Une boîte contenant huit cartouches de gros plomb.

Ravenne se sentait-il menacé ? Il relut avec attention l'inventaire. Aucun équipement de chasse n'y figurait ; ni bottes, ni gibecière, ni cartouchière. Ravenne n'était pas chasseur et pourtant il gardait chez lui — et dans sa chambre à coucher — un fusil chargé. Pourquoi n'avait-il pas utilisé cette arme pour tuer sa femme et mettre fin à ses jours ? Pourquoi s'était-il servi d'un couteau de chasse ? Et l'étui ? Nulle part il n'était fait mention de l'étui du couteau.

Les tentatives des enquêteurs pour découvrir chez Ravenne un comportement anormal avant le crime n'avaient rien donné. Les personnes interrogées semblaient dans l'ignorance des perturbations psychologiques que Ravenne était supposé traverser.

Il y avait plus ! Le dossier indiquait que la gendarmerie avait reçu un appel de René Ravenne les avertissant qu'il venait de tuer sa femme et qu'il allait se suicider. Si Ravenne avant de mourir cherchait à soulager sa conscience en avouant son crime, pourquoi n'avait-il pas mentionné le meurtre de sa fille ? C'était celui qui lui avait le plus coûté.

Ces associations formaient des combinaisons si évidentes que Morel se demanda pourquoi la police les avait ignorées. Il se rendit compte qu'il venait de franchir la frontière qui sépare la curiosité de la fascination. Il n'avait pas prévu cette réaction.

Il se tourna vers Tisserand. L'inspecteur s'était assoupi. Morel prit la décision de ne pas lui confier la teneur de ses observations ; après tout, il s'était présenté comme un journaliste soucieux de réunir du matériel pour écrire son polar.

De retour chez lui, il ouvrit un fichier sur son ordinateur et entreprit d'y inscrire ce qui lui avait semblé bizarre dans le dossier fourni par Tisserand. Tout pointait dans la direction d'un triple meurtre maquillé. Le téléphone sonna mais il ne décrocha pas.

Il tenait une chance de révéler au grand jour une affaire d'importance nationale ; il songeait à la célébrité que pourrait lui valoir cette enquête si ellé aboutissait. De quoi lui permettre de quitter la province et de monter à Paris. En voyant plus loin, il pourrait même signer un contrat avec une maison d'édition. Tandis qu'il continuait à taper sur son clavier, il jeta un coup d'œil à la photo d'Hélène Wang.

Quel lien pouvait bien relier la romancière à ces crimes ? se demanda-t-il, un peu inquiet.

12

Il était plus de dix-huit heures quand Hélène arrêta sa voiture devant un immeuble de la rue Pélisson à Villeurbanne. Elle ne descendit pas immédiatement, se demandant si le tueur l'avait suivie. Une pauvre fille pathétique, voilà ce que tu es devenue, se dit-elle, en passant les doigts sur sa gorge douloureuse.

Après le départ de son visiteur de la nuit, elle avait examiné la porte et la fenêtre de la chambre sans découvrir la moindre trace d'effraction. Il avait plusieurs longueurs d'avance sur elle, et sur la police qu'il avait dupée.

Pour une multitude de raisons elle se sentait envahie par une tristesse qu'elle voyait tournoyer comme un essaim de papillons noirs. Toute la journée elle avait été prise entre le désir de mettre au courant la police et la nature secrète de son caractère. Elle frotta ses yeux rougis par le manque de sommeil.

« Votre venue m'a inspiré », lui avait-il confié.

Ainsi, il s'était passé quelque chose en lui. Au-delà de l'assassin violeur et calculateur, il voulait plus encore ; il avait de nouvelles exigences, des besoins plus pervers encore que ceux qu'il avait manifestés.

Elle ne pouvait se résoudre à lui tourner le dos, à se taire, à fuir, à le laisser s'engager dans ses « métamorphoses », desquelles il sortirait plus monstrueux chaque fois.

Elle avait ouvert les yeux à l'aube. En se levant, un vertige l'avait fait osciller. Elle s'était appuyée au mur, attendant que le désordre s'apaise. Elle s'était arrachée comme une ventouse et s'était dirigée avec résignation vers la salle de bains.

Dans le miroir, elle avait découvert une inconnue ; une femme à l'air lugubre, avec de grands cernes autour des paupières, et des yeux vides. Au bout d'un moment, quelque chose avait bougé dans son regard. Elle s'était placée sous le jet d'eau froide jusqu'à en perdre le souffle, la tête appuyée contre les carreaux blancs, pareils au revêtement d'une morgue.

Elle avait fini par sortir de la douche. Brusquement, elle avait été prise d'une bouffée de chaleur, envahie d'un sentiment de claustrophobie. Elle avait l'impression que les murs se rapprochaient. La vision d'une ombre s'introduisant dans sa chambre avait traversé son esprit. Elle s'était habillée rapidement et avait quitté la pièce.

Une brume moite s'élevait des étangs et un soleil blanc filtrait derrière un voile de nuages.

Elle avait décidé de ne rien dire à la mère Solange. Après avoir réglé sa note, elle avait attendu patiemment dans la salle que les autres clients viennent prendre leur petit déjeuner. Aucun occupant des six autres chambres du Brochet bleu n'avait éveillé sa méfiance.

« Je ne jette rien, lui avait confié la vieille en lui remettant la carte de visite de ce policier venu la voir il y a quinze ans. J'espère qu'il n'a pas changé d'adresse. Il doit être à la retraite, maintenant ; il n'était plus tout jeune, si mes souvenirs sont bons. »

Hélène avait appelé de son mobile ; un répondeur téléphonique lui avait confirmé que c'était bien le domicile des Buzinski. Elle avait alors pris la route en direction de Lyon.

La foule encombrait les terrasses et elle s'était retrouvée assise sur une banquette à l'intérieur d'un café. Sa gorge meurtrie lui donnait l'impression d'avoir échappé à une pendaison. Elle avait commandé un double expresso et bu coup sur coup deux verres d'eau glacée comme si elle cherchait à éteindre quelque fièvre intérieure.

Elle se sentait plus en sécurité ici qu'à Villars ou à Bouligneux ; elle vivait un de ces instants suspendus où rien ne se passait ; un chaînon entre quelque chose d'accompli et quelque chose à venir.

Elle n'avait plus le choix. Ce serait lui ou elle. Qu'avait-elle comme preuve à fournir à la justice ? Un manuscrit de quelques pages, une prémonition, une rencontre nocturne avec une ombre : tout ça prêterait à sourire.

La construction d'un crime était réglée par une géométrie particulière comme l'était tout échafaudage de l'esprit humain, depuis le commencement jusqu'à la fin. Là, les subtilités de la situation demeurant indéchiffrables, c'était un jeu de divination auquel elle devait se livrer ; à moins de se concentrer sur la surface des choses. Elle avait eu un moment le désir de se confier à Léo, mais elle avait raccroché à la première sonnerie, convaincue qu'il ne l'écouterait pas.

Elle avait déjeuné d'un sandwich à une terrasse de café, et traîné dans les boutiques, attendant patiemment la fin de l'après-midi.

A présent, elle se trouvait devant l'immeuble où résidait Robert Buzinski, ce flic qui avait eu des doutes et dont elle espérait bien qu'il lui en apprendrait plus.

Elle descendit de voiture et jeta un regard circulaire dont elle s'avoua aussitôt l'inutilité. Elle n'avait pas la moindre idée du physique du meurtrier : cet homme qui traversait la rue et tournait la tête dans sa direction ; cet autre, adossé au mur, qui fumait en prenant l'air nonchalant.

Le hall était sombre et elle perdit quelques secondes à trouver la minuterie. Les Buzinski habitaient au premier, indiquait une plaque en cuivre sur l'une des boîtes aux lettres. Elle monta les escaliers et déboucha sur le palier. La caféine qu'elle avait absorbée sans retenue lui mettait les nerfs à vif. Elle arpenta le couloir pour laisser à son cœur le temps de s'apaiser, puis jeta un coup d'œil dans l'escalier.

Personne ne semblait l'avoir suivie. Elle s'approcha de la porte des Buzinski et colla son oreille au battant. La télévision était allumée. Sept heures du soir ; c'était le moment idéal pour trouver les gens chez eux.

La réponse à son coup de sonnette fut si rapide qu'elle se demanda si elle n'était pas attendue. Une femme se tenait devant elle ; ses cheveux gris étaient ramenés en chignon, et elle regardait Hélène comme si cette dernière s'était trompée d'adresse.

— Bonsoir madame, dit Hélène. J'espère que je ne vous dérange pas. Je voudrais voir M. Buzinski.

— C'est à quel sujet ?

— Je m'appelle Hélène Wang. Je suis romancière. J'aurais aimé m'entretenir avec lui d'une affaire dont il s'est occupé.

— Ah, fit la femme.

Elle avait des yeux tristes et serrait son sac contre sa poitrine comme si on allait le lui arracher.

— Je suis Mme Buzinski, dit-elle. Mon mari est décédé il y a cinq ans.

A cet instant la minuterie s'éteignit. La femme ouvrit la porte en grand et s'écarta à contrecœur.

— Entrez, j'ai cinq minutes, dit-elle. Je sortais pour aller à la messe.

Elle indiqua à Hélène la salle à manger. La pièce, dénuée de caractère, luisait de propreté maladive et sentait les produits d'entretien.

— Asseyez-vous, dit la femme.

Elle s'installa en face d'Hélène sur une chaise, prenant soin de ne pas s'appuyer au dossier en similicuir.

— Je suis désolée pour votre mari, dit Hélène, ne cachant pas sa déception.

— Oui, murmura-t-elle, après trente-deux ans... Comment avez-vous dit que vous vous appelez, déjà ?

— Hélène Wang.

— C'est le commissariat qui vous a donné notre adresse ?

— Non, c'est la mère Solange, la propriétaire du Brochet bleu, un restaurant entre Villars-les-Dombes et Bouligneux. Votre mari était allé l'interroger il y a quelques années.

— Il a interrogé tellement de monde. Il était consciencieux et il aimait son métier, fit la femme en secouant la tête.

Elle avait posé son sac sur ses genoux et s'était penchée en avant.

— C'est ce qu'on m'a dit. C'est pour ça que je tenais à le voir, dit Hélène.

Il y eut un long silence, puis la femme parut sortir de son apathie.

— C'est ce nom, Villars... Oh, mais ça remonte à bien longtemps... Je me rappelle qu'il avait une affaire là-bas...

— Il vous en a parlé ? demanda Hélène dont le cœur s'était remis à battre de façon désordonnée.

— Non. Il me disait pas grand-chose. Qu'est-ce que c'était ?

Hélène poussa un soupir.

— Une famille. Le père, la mère et leur petite fille ; votre mari était convaincu qu'on les avait assassinés. Moi aussi.

La femme détourna la tête. Après un instant d'hésitation, elle posa son sac sur la table et se leva.

— Merci de m'avoir reçue, dit Hélène en l'imitant.

— Non, non. Asseyez-vous. J'en ai pour une minute.

Elle quitta la pièce et revint quelques instants plus tard.

— Tenez, dit-elle à Hélène, en lui tendant une chemise en carton d'un jaune passé. Je suppose qu'il s'agit de cette affaire-là ?

Hélène prit la chemise. Sur la couverture, au stylo-bille rouge, on avait noté : *Affaire Ravenne, Villars-les-Dombes, septembre 1985*. La chemise contenait des coupures de journaux et des notes manuscrites.

— Oui, dit Hélène d'une voix enrouée. C'est bien cette affaire.

— Gardez les papiers, dit la femme. J'espère qu'ils vous serviront.

13

Il se tenait à sa place favorite, embusqué dans sa voiture, regardant les ombres s'allonger sur le trottoir. Combien de fois s'était-il posté dans une rue, songea-t-il, bien à l'abri, pour attendre et épier ? Il aimait ça. Il aimait le crépuscule et la venue de la nuit. Il était à l'aise dans l'obscurité. Hier, en serrant la Chinoise contre lui, il avait été surpris par sa propre réaction. Elle avait un cou frêle, de jolis seins ; son odeur l'avait troublé. Il se demanda ce qu'elle pouvait donner au lit. Il se vit en train de la posséder. Bien entendu, s'il la violait, il faudrait qu'il la tue. Il retourna la perspective dans sa tête et s'aperçut qu'il n'en tirerait qu'un plaisir médiocre. Dans le fond elle ne valait pas tant de risques ; il préférait la garder en vie. Jeune, il avait fait une importante découverte : il n'y avait rien au-delà des sensations physiques ; ni tendresse, ni affection, ni amour. Chacun pour soi, pour son propre plaisir, pour sa propre survie. C'était une des pulsions cardinales de tout être vivant. Il vit la Chinoise sortir de l'immeuble où elle était entrée un quart d'heure plus tôt. Il s'apprêtait à tourner la clé de contact quand il réalisa qu'elle n'était pas seule. Une femme marchait à ses côtés. Il les vit s'arrêter, se serrer la main, puis la Chinoise regagna sa voiture et démarra.

La femme continua son chemin sur le trottoir. Sous le coup d'une impulsion, il descendit et se mit à la suivre.

14

En quittant le domicile des Buzinski, Hélène se glissa dans la circulation. Elle tourna dans la ville pendant près d'une heure, se faufilant sur la bande réservée aux autobus et aux taxis, brûlant deux feux rouges. Quand elle estima en avoir assez fait pour semer un éventuel suiveur, elle se rendit au Sofitel, donna ses clés au voiturier et loua sous un faux nom une chambre qu'elle paya en liquide.

Au moment où la porte de l'ascenseur se refermait, un homme pénétra dans la cabine. Il était large d'épaules et tenait un attaché-case à la main. L'ascenseur s'arrêta au troisième. Hélène sortit dans le couloir et se dirigea vers sa chambre. En glissant sa clé magnétique dans le lecteur, elle jeta un regard sur le côté. L'homme était derrière elle.

— Bonsoir, lui dit-il.

Sa voix l'effraya. Elle songea un instant à redescendre dans le hall, mais il passa devant elle sans marquer la moindre hésitation et s'arrêta devant une autre porte, un peu plus loin dans le couloir. Tandis qu'il l'ouvrait avec sa carte, il se tourna vers elle et leurs regards se croisèrent.

Une fois dans sa chambre, Hélène posa son sac de voyage sur le lit. Elle fut parcourue d'un frisson. Ses doigts tremblaient quand elle composa le numéro du service d'étage pour commander un thé au citron, un grand pot d'eau chaude et des biscottes. Elle était sensible au froid et manquait de sommeil. Elle ne dormait plus beaucoup ces derniers temps. Elle se mentait à elle-même ; elle était tout simplement terrorisée à l'idée que l'homme surgisse en plein milieu de la nuit. Elle alla jusqu'à la fenêtre et regarda les eaux du fleuve qui s'assombrissaient, les ponts qui le traversaient. Dehors, un réseau serré de hiérarchies et de lois maintenait l'ordre social ; dans l'univers où elle avait pénétré se trouvait concentrée une autre forme de pouvoir.

Elle décolla son visage de la vitre. Qu'allait-elle trouver dans les papiers de Buzinski ? Avait-elle en elle les ressources et la dureté suffisantes pour se préserver des atteintes et lutter sur un pied d'égalité ? Qu'est-ce qui poussait cet homme à sortir des ténèbres ? Il avait assouvi sa vengeance, berné la police pendant plus de quinze années, et il était prêt à reprendre son petit jeu.

Avait-il un nouveau rendez-vous avec la mort ? La venue d'Hélène à Nantua avait-elle, comme il le lui avait dit, déclenché le mécanisme d'une nouvelle pulsion ? Il avait fait surface comme un animal tenaillé par la faim.

On frappait à la porte. Les pensées d'Hélène l'avaient entraînée vers des régions où des desseins prémédités s'accomplissaient selon une logique qui lui échappait.

Elle s'assura qu'il s'agissait bien du garçon d'étage avant d'ouvrir. Après s'être versé une tasse de thé, elle cala son dos contre des coussins et prit la chemise qui contenait les informations réunies par l'inspecteur Buzinski quinze ans auparavant.

15

Il roulait tous feux éteints sur la route qui menait à la déchetterie. Il conduisait d'une main, la vitre ouverte, respirant l'air de la nuit. Il se concentrait sur la conduite du véhicule. Il ne rencontrerait aucune difficulté. Il n'avait pas à s'inquiéter. Il aperçut enfin les tumulus d'ordures ; une succession de formes sombres sous la lumière de la lune. Il se tassa davantage sur son siège et lança un coup d'œil à sa montre. Il s'était donné une demi-heure pour accomplir ce qu'il avait à faire. Il s'arrêta au bout de la voie goudronnée. Au-delà, les pneus pouvaient laisser leur empreinte dans la poussière de la piste. Il coupa le contact, enfila une paire de gants et se couvrit la bouche et le nez d'un masque de peintre. Il repassa dans sa tête la succession de ses gestes et les précautions qu'il devait prendre, puis descendit en repoussant la portière sans la fermer complètement. Il ouvrit la malle et chargea sur son épaule le colis. Courbé sous le poids, il avança vers la décharge. Bientôt, il pénétra dans l'immense champ d'ordures. Sa marche s'avéra difficile ; le sol se dérobait sous ses bottes.

Malgré son masque, l'odeur était insupportable. Il gravit le premier monticule, le second, et se dirigea vers un troisième plus important. Arrivé au sommet, il posa sa charge et respira bruyamment. Il était en nage. Il regarda sa montre et sortit un couteau de sa poche. Il se baissa et fendit le plastique noir des sacs poubelles qui enveloppaient le colis. Il rangea le couteau, roula les sacs en boule et les fourra dans sa veste. Il leva ensuite la tête et regarda les étoiles. A ses pieds, un corps nu reposait sur le dos. Il réalisa qu'il avait oublié quelque chose. Il ressortit son couteau et trancha la cordelière nouée autour des poignets du cadavre. Du pied, il fit basculer le corps avant de le recouvrir d'ordures. Il regagna sa voiture, se déshabilla et mit de côté ses vêtements souillés. Il passa un pantalon propre, un tee-shirt, enfila une paire de sandales. Il s'installa au volant et fit demi-tour. Il parcourut sans incident les trente-cinq kilomètres qui le séparaient de son domicile. Une fois chez lui, il mit dans la machine à laver ses vêtements sales et engagea le programme en réglant la température au maximum. Dans un bac d'aluminium il fit brûler les sacs, le masque et les gants. Il jeta les cendres dans la cuvette des toilettes et tira plusieurs fois la chasse. Il nettoya ses bottes et les rangea dans un placard. Sous la douche, il se savonna consciencieusement et laissa l'eau couler plusieurs minutes pour apurer la bonde. Il se coucha tout de suite après et s'endormit aussitôt.

16

En quittant le collège de la Croix-Blanche, Jeff Morel était plutôt content. Sa carte professionnelle et sa qualité d'ancien élève lui avaient facilité la tâche ; il avait identifié une source potentielle d'informations sur Lénore Ravenne. Arlette Jallut, une de ses connaissances — elle était gérante d'une galerie de peinture dans le 2e arrondissement — se trouvait être une camarade de classe de Lénore. « Bien sûr que je me souviens d'elle. » Elles avaient fait leur quatrième et leur troisième ensemble.

À midi et quart, Jeff ressortit de la galerie. Il en savait un peu plus sur Lénore. Il se dirigea vers un café, s'assit à une table en terrasse et commanda une bière. Il alluma une cigarette, sortit le carnet sur lequel il avait noté les renseignements fournis par Arlette, et s'accorda quelques minutes de rêverie.

Cela faisait quatre ans qu'il habitait le même petit appartement, garni de meubles de brocanteur. S'il réussissait ce coup il pourrait envisager de se marier, peut-être même avoir un chien ; un truc dans ce genre. Il croisa les doigts.

La terrasse s'était remplie mais personne ne s'intéressait à lui. Il but la moitié de sa bière et consulta les notes qu'il avait prises :

Lénore se plaignait de changer trop souvent d'école/

Conséquence : n'arrivait pas à se faire de vraies copines/ pas sûre de faire sa seconde au lycée Edgar-Quinet de Bourg-en-Bresse/

Parlait de quitter définitivement la région de Lyon avant la rentrée/pas de problème de fric/portait tout le temps des fringues neuves/adorait ses parents mais les trouvait trop protecteurs/

Conclusion :

1) Hypothèse du père tuant sa fille et sa femme : absurde/ mise en scène, maquillage des crimes presque certain.

2) Changement d'école indique changement de domicile : à rapprocher du fusil chargé dans la chambre à coucher ; indique une menace possible sur Ravenne ou l'un des membres de sa famille ; à rapprocher éventuellement de son changement de nom.

Ce qu'Arlette lui avait ensuite confié juste avant qu'il ne quitte la galerie, il l'avait enregistré sur son magnétophone. C'était tout simplement énorme ; si les ramifications s'orientaient dans cette direction, et s'il arrivait à les mettre à nu, son avenir était assuré.

Sur le trottoir, une grande fille aux cheveux roux n'arrêtait pas de gesticuler, cherchant à stopper un taxi. Elle se tourna dans sa direction. Il lui sourit et lui fit un signe de la main. Pourquoi n'arrivait-il pas à s'en dénicher une, juste une dans ce style, avec des jambes interminables et des seins tellement haut perchés ? Une avec qui il partirait ? Lui, Jeff Morel, était disponible dans la seconde.

*

A quelques centaines de mètres de là, après s'être brossé les dents et avoir pris une douche, Hélène Wang contemplait les éléments qu'elle avait disposés sur la moquette. Elle écarta les cheveux qui tombaient sur son front, essayant de donner priorité à ses pensées.

Le dossier de Buzinski était maigre ; il soulevait plus de questions qu'il ne fournissait de réponses. A sa décharge, l'inspecteur n'avait que des soupçons sur une possible mise en scène, tandis qu'à elle, le tueur en personne avait tapé sur l'épaule. Buzinski en revanche, semblait avoir découvert une vague indication sur ce mystérieux « corbeau. »

Hélène réalisa que pour avoir une chance d'assembler les pièces du puzzle, il lui fallait changer son point de vue. Elle devait faire abstraction de toute notion d'espace et de temps. Le tueur les avait abolis. Deux entrefilets dans la presse locale avaient été découpés et collés sur une feuille de papier par Buzinski.

> *12 février 1983*
> On est toujours sans nouvelles de Flora Marchand, 38 ans, sans famille, disparue dans des conditions mystérieuses le 24 décembre 1983 du centre pour handicapés mentaux Jeanne-d'Arc.
> La jeune femme souffrait depuis de nombreuses années d'un désordre grave de la personnalité connu sous le nom de schizophrénie. Toute information sur cette personne peut être communiquée soit au centre Jeanne-d'Arc, soit au commissariat de police du 3e arrondissement, soit directement à notre journal. Ci-dessous les numéros de téléphone correspondants et un rappel du signalement de Flora Marchand...

> *14 mai 1984*
> Découverte macabre dans les « Glacières du roi » près de Nantua.
> Dimanche, des enfants ont découvert dans le lieudit les « Glacières du roi », les restes d'un cadavre décomposé. Contactée, la gendarmerie de Bourg-en-Bresse a déclaré que selon l'institut médico-légal le corps correspondrait à celui d'une femme de race blanche, âgée de trente à quarante ans. Les circonstances de sa mort demeurent encore inexpliquées. L'identification est en cours.

Buzinski avait ajouté une remarque en face de l'article : *Jamais identifiée.*

En complément, il avait épinglé la photocopie d'une lettre adressée au commissariat de police du 3e arrondissement. La lettre portait dans le coin gauche la date d'arrivée, *10 décembre 1983*, et la mention « A classer ».

Aujourd'hui, il est venu. J'ai toujours peur quand il est là. Il porte son déguisement ; il ne veut pas qu'on sache qui il est.

Il m'a dit que dans quinze jours ce serait Noël et qu'il avait un cadeau pour moi. Il les a retrouvés, à cause de leur nom. Je me suis mise à crier et la sœur est venue. Je sais qu'il va les tuer ; il a toujours dit qu'il le ferait le jour où il les retrouverait. Il les attend ; la fille d'abord, puis la mère, et en dernier le père.

Je vous écris pour vous prévenir. En regardant derrière moi sur le chemin, je ne vois que la douleur. Ma douleur. C'est ma véritable identité. Je sais où elle me conduit. Lui, se déplace à travers le temps comme si c'était un simple ruban sous ses pieds.

Malgré sa cruauté, je ne peux pas m'empêcher de l'aimer. Je ne veux pas le dénoncer. Il dit qu'il les a trouvés parce que le Corbeau est digne des anciens jours et que ses yeux ont toute la semblance des yeux d'un démon qui rêve. Il a dit aussi qu'il l'a retrouvé là où se réfugient les oiseaux, et qu'enfin il pourrait arracher son bec de son cœur.

Je suis sûre que s'il a pu les découvrir vous le ferez aussi. Je vous en prie, surtout pour la petite fille. L'heure est proche où je pourrai enfin apparaître dans la lumière.

Hélène se mit à parler à voix basse, comme craignant de réveiller quelque chose d'endormi.

« Flora Marchand est l'auteur de cette lettre. Elle s'est échappée de l'asile psychiatrique et a rejoint Nantua. Probablement pour le voir. Il a eu peur et il l'a tuée. C'est à Nantua qu'il a déposé à mon intention sa confession ; il doit y vivre, y travailler ou s'y rendre fréquemment. Il utilise des connexions qui *me* sont inconnues. Il a franchi une étape difficile, celle de commettre plusieurs crimes en demeurant impuni. » Elle porta sa main à son cou endolori.

« Si c'était un personnage de roman, je dirais qu'il est en forme et bourré de fantasmes. Il est éduqué, possède des bases scientifiques et une connaissance des enquêtes policières. En gros, c'est le psychopathe modèle. Il s'imagine communier avec quelque chose de plus vaste, d'intemporel. Il a de grands projets ; une quête en plusieurs phases. Il m'a fait découvrir la première. Quelle est la seconde ? Je pense que la seconde... »

Hélène s'arrêta, laissant sa phrase en suspens. Elle resta un moment les yeux braqués sur un point imaginaire.

« Il y a deux ans j'aurais été bien incapable de répondre à cette question, continua-t-elle. Aujourd'hui... je suis sûre qu'il n'a pas la moindre intention de surseoir à ses plans. Quelle que soit mon attitude, il va recommencer. »

Des silhouettes, des corps mutilés, l'odeur écœurante des cadavres ; les victimes qui se tenaient pétrifiées entre la frayeur et de la mort. La mort, Hélène avait appris à la connaître et sa mémoire était fidèle.

Elle essuya ses paumes moites et relut la lettre. Les mots et leur résonance poétique l'intriguaient : *... le Corbeau est digne des anciens jours et ses yeux ont toute la semblance des yeux d'un démon qui rêve.*

Une plainte déchirée et solitaire de Flora Marchand ? Elle en doutait. Plutôt une phrase entendue, répétée ; prononcée peut-être par l'assassin lui-même. Les choses se compliquaient.

Les notes manuscrites de Buzinski sur le changement de nom de Guillaume Desmeuraux en René Ravenne étaient illisibles ; pire qu'une ordonnance médicale. Hélène ne voyait que sa femme pour les déchiffrer.

Son téléphone mobile sonna. Elle sursauta, eut une seconde d'hésitation avant de prendre l'appel.

— C'est Mme Buzinski à l'appareil. Vous êtes venue me voir hier et je vous ai remis des papiers... Voilà, j'ai trouvé autre chose sur... Villars... Si vous voulez passer ce matin, je ne bouge pas de la maison...

— Je peux venir d'ici une demi-heure.

— Je vous attends.

Hélène s'habilla, avala en vitesse un café au bar de l'hôtel et récupéra sa voiture au parking. Quelques instants plus tard, elle se frayait un passage au milieu de la circulation de cette fin de matinée. Elle se gara sur un emplacement réservé et prit avec elle les notes manuscrites de Buzinski.

« J'espère qu'elle en tirera quelque chose », marmonna-t-elle en descendant de voiture, songeant à la femme qu'elle allait voir.

*

Un taxi freina brutalement et la rousse s'engouffra à l'intérieur. Avant de refermer la portière, d'un air détaché elle fit à Morel un bras d'honneur.

Toujours attablé à la terrasse, il avait commandé un sandwich au fromage et s'était accordé une deuxième bière. Il enfonça la touche « lecture » de son magnétophone, conscient de l'excitation de cette journée.

« Son père, Arlette », reprenait Jeff.

« Quoi son père ! Tu veux savoir si je pense qu'il a commis ces crimes ?

— Oui.

— Eh bien ma réponse est non.

— Lénore parlait de ses rapports avec son père ?

— Elle était fière de lui. Au point que toute la classe avait entendu parler de ses exploits. »

Il y eut un silence, puis la voix de Jeff se fit de nouveau entendre. Une voix enrouée.

« Quels exploits ?

— Oh, la Résistance, ces trucs-là. Son père avait été arrêté par la Gestapo et envoyé vers un camp de concentration. Buchenwald, je crois. Il a réussi à s'échapper en sautant du train. Les Allemands lui ont tiré dessus mais il s'en est sorti. »

Silence.

« Il était dans la Résistance, son père ?

— Je ne sais pas. Peut-être qu'il était juif.

— Non, il n'était pas juif.

— S'il n'était pas juif, c'est qu'il était dans la Résistance !

— Tu viens de me dire que tu ne savais pas.

— C'est elle qui nous en parlait. Et puis merde, arrête de me prendre la tête avec tes questions ! C'est vieux tout ça ; ces pauvres gens sont morts. Fous-leur la paix ! »

Silence.

« Bon, une dernière question alors.

— Dépêche-toi !

— A-t-elle dit où la Gestapo avait arrêté son père ? Réfléchis bien !

— Je n'ai pas besoin de réfléchir. Je ne sais pas où la Gestapo l'a arrêté mais je sais que le train est parti de Bourg. T'es content ? »

Morel arrêta le magnétophone. Un train de déportés partant de Bourg-en-Bresse pour Buchenwald, ça ne devait pas être difficile à trouver.

Guillaume Desmeuraux avait pris le nom de René Ravenne en 1945 ; ses ennuis remontaient donc à cette période. S'il était dans la Résistance, de qui avait-il peur quarante ans après la fin de la guerre ?

Avait-il menti à sa famille ? Un collabo passé entre les mailles du filet ? Un évadé bidon ? Qui était à ses trousses ? Les Juifs ? D'anciens résistants ? Pourquoi avait-on supprimé sa famille ?

Si les choses continuent d'aller aussi vite, pensa Morel, je vais demander une entrevue à mon rédacteur en chef. J'exigerai une exclusivité ; pas question qu'il me colle un fouille-merde du journal ! C'est *mon* histoire !

Hélène Wang ? Avait-elle repris le train pour Paris ou traînait-elle dans la région à la recherche d'informations ? Il lui fallait en avoir le cœur net avant de s'engager plus loin. Il en avait la chair de poule. Bon sang, sur quoi était-il tombé !

*

Devant la porte de l'immeuble de la rue Pélisson Hélène s'arrêta. L'impression d'une catastrophe flottait autour d'elle ; un mauvais pressentiment obscurcissait son esprit.

Elle n'avait jamais donné son numéro de portable à Mme Buzinski ! Ce ne pouvait être que lui ! Il devait l'attendre dans l'appartement, impatient de découvrir ce que le dossier de Buzinski contenait !

Au premier étage, les fenêtres étaient fermées, les rideaux tirés. Peut-être l'observait-il en ce moment même ! Elle regarda sa montre, secoua la tête, et retourna vers sa voiture comme si elle avait oublié quelque chose. Une fois à l'intérieur, elle composa le numéro des Buzinski et laissa sonner. Personne ne décrocha et le répondeur ne prit pas l'appel. Elle appela alors Police-Secours.

— Au 37 de la rue Pélisson. Premier étage. Mme Buzinski, une personne âgée qui vit seule. Elle vient d'avoir un malaise. Je crois que c'est grave. Je m'appelle Hélène Wang, je vous rejoins là-bas.

Quand elle entendit la sirène, elle quitta sa voiture et retourna lentement vers l'immeuble. Elle patienta quelques minutes avant de se décider à monter. Les badauds commençaient à s'assembler sur le trottoir. Au premier étage, la porte de l'appartement était ouverte. Hélène entra.

— C'est moi qui ai appelé, dit Hélène à un policier en uniforme

— Vous êtes de la famille ? demanda le flic.

Hélène secoua la tête.

— Non, elle m'avait demandé de passer la voir. Comment va-t-elle ?

Le policier haussa les épaules.

— On est en train de l'examiner. Vous avez une pièce d'identité ?

Il prit la carte qu'elle lui tendait. Une femme en blouse blanche, un stéthoscope autour du cou, sortit dans l'étroit corridor.

— C'est cette dame qui a téléphoné, dit le flic, désignant Hélène d'un signe de tête.

— On ne peut plus rien pour elle. Elle a eu une crise cardiaque.

— Mon Dieu ! dit Hélène.

La femme eut un geste d'impuissance. Ces choses arrivaient sans prévenir, semblait-elle dire.

Un homme, également en blouse blanche, fit son apparition dans le corridor. Il posa contre le mur la bouteille d'oxygène qu'il tenait à la main.

— Elle était déjà morte quand nous sommes arrivés, dit la femme. Je ne pense pas qu'elle ait souffert.

Hélène s'était appuyée au chambranle de la porte. Quelque chose venait d'éclater en elle. Elle resta figée, les yeux écarquillés. Elle avait dans la bouche un goût métallique. Elle crut qu'elle allait s'évanouir.

— Ça ne va pas ? demanda la femme en blouse blanche. Vous êtes toute pâle.

Hélène fit un effort pour se ressaisir. Elle vit le salon en désordre, comme si le ménage n'avait pas été fait.

Il l'avait tuée. Il devait se cacher dans l'appartement.

— Comment êtes-vous entrés, demanda-t-elle au flic.

— Le verrou n'était pas tiré, précisa-t-il en jetant un coup d'œil à la carte d'identité d'Hélène.

— Il y avait quelqu'un d'autre dans l'appartement ?

— Non, dit le flic.

— Vous n'avez croisé personne en montant ? continua-t-elle.

— Personne. Pourquoi, il y avait quelqu'un avec elle ? dit le flic, fronçant les sourcils avec suspicion.

— Non, je ne sais pas. Je dis ça... c'est stupide... le choc... Il est à l'étage supérieur ; il attend. C'est ce qu'il a fait quand il a entendu la sirène de Police-Secours !

— Je gare ma voiture et je reviens, jeta-t-elle, hagarde.

Elle descendit les escaliers et sortit sur le trottoir. Les curieux n'avaient pas bougé. Elle demanda :

— Vous avez vu quelqu'un sortir de l'immeuble ?

— Qu'est-ce qui se passe ? demanda quelqu'un.

Elle secoua la tête.

— Une vieille dame ; elle vient d'avoir un malaise. Vous avez vu quelqu'un sortir juste avant moi ?

Les gens se regardèrent, puis une femme au second rang, qui tenait un enfant dans les bras, s'avança.

— Moi, j'ai vu quelqu'un sortir, dit-elle. Un type voûté avec une canne. Il est parti par là.

Hélène regarda dans la direction indiquée. Elle ne vit personne. Ce ne fut pas une surprise.

La police n'autorisa Hélène à partir qu'après l'enlèvement du corps. La famille de Mme Buzinski se résumait à une sœur plus jeune qui travaillait à la mairie. Hélène lui laissa son numéro de téléphone ; elle tenait à assister à l'enterrement. Elle se sentait coupable d'avoir conduit l'assassin jusqu'au domicile de cette femme.

Elle ne quitta pas tout de suite le quartier. Elle interrogea les commerçants, examinant la rue comme s'il s'y trouvait encore. Personne ne se souvenait d'avoir vu un homme voûté avec une canne rôder dans les environs. Il faisait chaud, elle était en nage, mais elle continua à arpenter la rue, insensible au mouvement confus de la circulation. Le meurtre de Mme Buzinski revenait comme une obsession. Une fois de plus l'assassin lui avait jeté sa supériorité au visage ; il était vigilant, aux aguets, et elle avait désobéi.

Les reflets des vitrines faisaient glisser sur son visage des éclairs de lumière et d'ombre tandis qu'elle avançait, dévisageant les passants qu'elle croisait.

Il porte son déguisement ; il ne veut pas qu'on sache qui il est, avait écrit Flora Marchand.

Elle entra dans un café, s'installa près de la porte et commanda une eau minérale. Elle resta là immobile, laissant ses pensées dériver.

Elle devait retourner à Nantua et y trouver un appui ; quelqu'un qui puisse l'aider à démonter ce mécanisme ; quelqu'un capable de l'aider à identifier l'assassin.

Le nom de Fabienne Thomas-Blanchet lui traversa l'esprit. Hélène paya sa consommation et regagna sa voiture. En dernière analyse, elle ne pouvait être sûre que d'elle-même pour faire justice si l'occasion se présentait.

LE CHEMIN DES ÂMES PERDUES

1

Le gendarme Langlois poussa un soupir et regarda sa montre. Il était trois heures de l'après-midi, un peu moins de vingt-quatre heures depuis que la petite Laura Masson avait disparu. Elle avait peut-être simplement découché.

L'hypothèse qu'elle soit partie rejoindre son père — comportement fréquent chez les enfants de divorcés — avait été écartée par les enquêteurs. Le père vivait à Madagascar depuis la séparation ; c'est tout ce qu'on savait de lui. Il n'avait pas revu sa fille depuis longtemps.

Il était trop tôt pour songer au pire, pensa Langlois, mais chaque minute réduisait les chances d'une heureuse issue.

— Madame Masson, comment étaient vos relations avec votre fille ? demanda-t-il.

Michèle Masson médita la suggestion, les lèvres serrées comme pour réprimer des mots prêts à jaillir. Des larmes coulaient sur ses joues. Elle tenait à la main une photo de Laura.

— Nous nous entendons bien toutes les deux, je l'ai déjà dit à vos collègues.

Le gendarme se leva. Le salon était confortable ; une cheminée de pierre, des meubles cirés, un canapé avec des coussins à fleurs, deux fauteuils ; il y avait un poste de télévision et dessous, sur une étagère, un magnétoscope.

Le gendarme se leva et se dirigea vers la chambre de Laura. Il passa devant la petite salle à manger où se tenait un groupe de personnes ; des voisines, des enseignants, des amies de Laura, se relayaient auprès de Michèle Masson depuis que la nouvelle s'était ébruitée.

Dans la chambre de Laura, une jeune femme blonde examinait le contenu des tiroirs, des étagères, des livres. Elle leva les yeux vers Langlois.

— Toujours rien, dit-elle. Pas de journal, de lettres. D'après la mère, la gamine n'a rien emporté.

Langlois hocha la tête. Il regarda par la fenêtre. Devant la maison, trois policiers fumaient en silence. Les rayons du soleil se brisaient sur le feuillage des arbres.

— Bertrand !

Le gendarme se retourna. Fabienne Thomas-Blanchet donnait l'impression de flotter dans ses vêtements trop grands.

— Tu veux que je fasse du café ?

— C'est une bonne idée, mais léger alors.

— Tu penses qu'on va la retrouver ?

Langlois regarda ses mains. Il était grand, brun, et ses yeux bleus avaient une expression amicale. Thomas-Blanchet et lui se connaissaient de longue date ; affecté à la gendarmerie de Nantua, c'était un habitué de la médiathèque.

— Si elle s'est enfuie, je suis sûr qu'elle donnera de ses nouvelles.

— Et si elle n'en donne pas ?

Langlois la prit par le bras et l'entraîna dans le couloir.

— N'y pensons pas pour l'instant. Si on n'a rien d'ici demain, on organisera une battue. En attendant, tu peux me faire une liste des gens qu'elle fréquentait, filles et garçons.

Une voiture de la gendarmerie s'arrêta devant la maison. Langlois abandonna Fabienne et sortit sur le perron. L'un des policiers parlait avec le conducteur ; il leva la main et fit signe à Langlois d'approcher.

Le gendarme comprit que le nouvel arrivant n'apportait pas une bonne nouvelle.

2

De minces fumerolles montaient çà et là de la déchetterie, s'étirant dans le ciel comme une écharpe grise. Sur un terre-plein, deux véhicules de la gendarmerie stationnaient, encadrant un camion-benne.

— Où est le corps ? demanda un des gendarmes au chauffeur du camion.

— Là ! dit-il.

Il indiquait de la main un monticule d'ordures.

— Comment l'avez-vous découvert ?

— Je viens ici pour fouiller... Je récupère des trucs... Je suis tombé dessus : une fille... Je crois bien qu'elle est...

Il secouait la tête, exprimant l'horreur de sa découverte.

— J'y vais. L'adjudant Marceau va prendre votre déposition.

Le commandant de gendarmerie fit quelques pas et se retourna.

— Envoyez quelqu'un prévenir Langlois, dit-il. Je crois qu'il faut envisager le pire.

Il avançait péniblement au milieu des monceaux d'ordures, manquant à plusieurs reprises de perdre l'équilibre. Les vapeurs acides piquaient douloureusement à la gorge. Il découvrit le versant caché du tombereau et les taches bleu ciel des uniformes : deux hommes et une femme. Ils étaient penchés sur un corps nu déposé au milieu d'une coulée de détritus. Debout, un photographe de la gendarmerie rechargeait son appareil.

Le commandant s'approcha et observa le cadavre. La vue de cette nudité exposée, de ce corps jeté comme un vulgaire rebut, était obscène. Le visage de la fille était caché au creux de son coude comme si elle avait eu honte qu'on la découvre dans cet état. Son crâne était rasé, la chair autour des poignets tuméfiée. L'examen sur place ne leur apprendrait pas grand-chose, il faudrait attendre l'autopsie.

— C'est la petite Masson ?

— Affirmatif, mon commandant, dit l'un des gendarmes en s'écartant pour céder la place.

La femme blonde examinait soigneusement le corps.

— Je ne vois pas de blessure apparente à part les meurtrissures sur les poignets. Elle était vivante quand on l'a ligotée... et le corps a été déplacé...

— Violée ? demanda le commandant.

— Je ne sais pas encore.

Le commandant indiqua des marques sur le corps.

— Qu'est-ce que c'est ?

— Des morsures, dit la femme.

— Des morsures ?

— C'est fréquent dans les décharges... Les rats.

L'officier poussa un soupir et se redressa.

— Décidément, je ne m'y ferai jamais.

Après dix-huit ans de service dans la gendarmerie, le commandant Berthier n'était pas immunisé contre la mort brutale ; sa rencontre l'indignait chaque fois.

3

— C'est ici, dit Fabienne. Ce sont les Glacières du Roi.

Hélène rangea la voiture sur le bas-côté et coupa le contact. Fabienne essaya d'allumer une cigarette. Quand la flamme crachota en s'éteignant, elle laissa tomber l'allumette dans le cendrier et garda sa cigarette à la bouche.

— Ça va ? demanda Hélène d'un ton où Fabienne crut déceler de la sollicitude. Allons marcher un peu.

Elles descendirent et firent quelques pas.

— Pourquoi ne pas avoir prévenu la police ? dit Fabienne en s'arrêtant.

Hélène la regarda.

— Comment croyez-vous qu'elle aurait réagi ? Je n'ai rien de concret, pas de preuve. Qu'est-ce que je leur aurais raconté ? Qu'il est venu en pleine nuit au Brochet bleu me terroriser ? Il n'est même pas entré par effraction !

— Et Mme Buzinski ?

— Sa propre sœur n'a pas été surprise par sa mort. Elle a dit qu'elle s'attendait à une crise cardiaque ou quelque chose du même genre. Elle avait une très mauvaise circulation.

Fabienne se mordit les lèvres de colère.

— Pourquoi êtes-vous entrée dans le jeu de ce type ? demanda-t-elle.

Hélène répondit sèchement :

— Je ne cherche pas à élargir mes connaissances sur lui pour en faire le héros de mon prochain roman, si c'est ce que vous imaginez !

Elle ne plaisantait pas avec ce genre de choses, semblait-elle dire.

— J'ai peur qu'il recommence. Il a menacé de le faire si je n'accepte pas ses conditions.

— C'est bien ce qui s'est produit, non ? Vous avez préféré vous taire et vous avez causé la mort de deux innocents !

Pour la première fois depuis qu'elle s'était confiée à Fabienne, Hélène ressentait la frustration qui se cachait derrière ces propos.

Elle chercha le regard de Fabienne et leva la main pour mettre les choses au point. Elle s'adressait déjà des reproches amers mais il ne fallait pas se tromper d'ennemi.

— Vous m'avez bien dit que la petite Laura a été retrouvée dans une décharge publique et qu'apparemment elle ne présentait aucune blessure ?

Une veine sur le cou de Fabienne Thomas-Blanchet s'était mise à battre. Elle alluma sa cigarette et répondit avec précaution :

— Oui, je vous l'ai dit. Mais pour les blessures c'est une confidence de l'un des gendarmes qui s'occupe de l'enquête. Vous n'êtes pas censée être au courant.

— Celui que je cherche n'est pour rien dans la mort de Laura !

— Mon Dieu ! Comment pouvez-vous en être aussi sûre !

La question ne prit pas Hélène de court. Elle y avait suffisamment réfléchi après la mort de Laura Masson.

— Nous ignorons comment Laura est morte. Par contre, les Ravenne ont été découpés en morceaux et la police n'a pas soupçonné ce qui s'était réellement passé. Vous pensez que maintenant, comme ça, il a brusquement décidé d'abandonner sa victime dans une décharge pour que les flics se mettent à soupçonner tout le monde ? Non ! Il a un nouveau meurtre en préparation et c'est celui-là que nous devons empêcher. Nous avons un peu de temps devant nous. La mort de Laura va attirer les journalistes ; il ne bougera pas tant que les caméras seront là.

Fabienne secouait la tête comme si le doute persistait dans son esprit.

— Que faites-vous de Mme Buzinski, elle a...

— Écoutez-moi ! La police ne l'a pas arrêté il y a quinze ans et elle ne l'arrêtera pas aujourd'hui !

Elle marqua un temps d'arrêt avant de poursuivre :

— Quand je suis sortie de chez Mme Buzinski, il devait être aux aguets. Il a dû la suivre, l'aborder, l'inciter à se confier. Il est très fort dans l'art de se déguiser, de s'attirer la sympathie des gens. Il a appris qu'elle m'avait confié un dossier sur *son* triple meurtre. Le lendemain, il l'a obligée à me téléphoner pour que je retourne chez elle. Il m'y attendait. C'est ce qu'avait réuni sur lui l'inspecteur Buzinski qui l'a inquiété ; c'est pour ça qu'il a tué sa femme. Là encore, il est passé au travers !

Sans ajouter un mot, Hélène descendit le talus et se mit à fixer la vaste tourbière couverte d'une maigre végétation. C'était là qu'on avait retrouvé le cadavre d'une femme qui d'après Buzinski était celui de Flora Marchand.

Ce n'était pas les sujets de réflexion qui manquaient, se dit Hélène.

Plus loin, dans une sorte de clairière, trois oiseaux noirs posés au sol les observaient.

— Pourquoi appelle-t-on cet endroit les Glacières du Roi ? demanda Hélène, s'arrachant à sa contemplation.

Fabienne l'avait rejointe.

— Oh, on y prélevait des blocs de glace qu'on envoyait jusqu'à Paris à la table du roi, pour rafraîchir les sorbets... Ce type semble avoir le don de disparaître sans laisser de traces.

Hélène acquiesça, l'air absent.

— C'est comme s'il n'existait pas, murmura-t-elle.

Les deux femmes échangèrent un regard. Chacune semblait épier quelque chose dans ce passage secret et invisible ; puis comme au sortir d'un tunnel de petites lumières vinrent ponctuer ce chemin, des signaux de reconnaissance.

Fabienne fit un geste de la main ; après cette épreuve elle invitait Hélène à franchir une barrière invisible pour se rapprocher d'elle.

— A Shanghai, commença Hélène, j'ai rencontré cette adolescente, Zhang Ling, et je me suis prise d'affection pour elle. Je suis chinoise et j'ai attendu longtemps pour me donner une famille qui soit de là-bas. Zhang Ling était belle, intelligente, et d'un milieu pauvre ; elle rêvait de partir, de devenir quelqu'un, et de retourner plus tard dans son pays. Mon agent à New York, que dans mon bonheur j'avais mis au courant pour Zhang Ling, est entré en relation avec un journaliste du *Shanghai News*. Ça, je ne l'ai appris que plus tard. Le journaliste est venu un matin à l'hôtel ; il m'a interrogée et nous a pris en photo pour faire un papier. Les formalités pour le passeport de Zhang Ling traînaient, et l'article est sorti quand nous étions encore là-bas. Un grand article, dans l'édition anglaise et chinoise. Du coup, tout le monde s'est intéressé à la gamine ; pour elle c'était un conte de fées. Celui qui l'a tuée était un minable petit employé. Plus odieux est le crime, plus célèbre le criminel...

Cette tragédie donna le frisson à Fabienne. Elle était troublée parce que cette confidence soulevait de secret, d'inaccessible.

— Vous n'étiez pas responsable.

— Oui et non. Je n'aurais jamais dû en parler à mon agent. Il a cru bien faire. L'édition américaine d'un de mes livres allait sortir, et le *New York Times* devait en parler. Un article dans le *Shanghai News* sur cette romancière chinoise trouvée sur un boat people, qui retournait dans son pays d'origine pour prendre sous son aile une compatriote, c'était médiatique, très médiatique.

Elle avait attendu cet instant depuis tellement d'années. Le destin le lui avait offert, puis repris. Elle marqua un silence avant de continuer :

— Cette nuit-là, la pluie tombait avec force ; les rafales de vent, les feuilles arrachées aux arbres, ajoutaient une frontière de plus entre Zhang Ling et moi. La police avait expédié une ambulance équipée comme un hôpital de campagne. Je me trouvais dans une voiture, assise à côté d'un policier qui me parlait en chinois. Je ne comprenais pas un mot. Le voyage n'en finissait plus. Shanghai est une ville de quatorze millions d'habitants... L'indicateur de la police ne s'était pas trompé. C'était bien elle... Zhang Ling...

Hélène porta la main à sa tempe comme si une ancienne douleur se réveillait.

— ... On la cherchait depuis plus d'une semaine.

L'espace semblait s'être figé autour des deux silhouettes.

— Et son assassin ? demanda doucement Fabienne.

Hélène avait de nouveau dans les yeux cette distance qui avait surpris Fabienne la première fois qu'elle l'avait rencontrée.

— Les policiers l'ont tué. Ils m'ont demandé si j'étais d'accord. J'ai dit oui sans hésiter.

Fabienne était atterrée.

— Ce n'est pas..., protesta-t-elle.

Mal à l'aise, Fabienne ne pouvait détacher ses yeux d'Hélène. Elle avait la sensation d'être envahie par quelque chose qu'elle ne cernait pas.

— « Personne ne saura la vérité », m'ont-ils affirmé. Le détective chargé de l'enquête m'a dit : « Ce type n'est pas un être humain, c'est un monstre. Vous n'allez pas lui offrir la justification de son crime. Demain, d'autres que lui vont se mettre à découper des gosses en morceaux. » Je suis sortie du hangar et j'ai attendu. Il y a eu un coup de feu. Il avait cherché à se défendre et la police avait été forcée de l'abattre. C'est la version qu'ils ont donnée et je ne l'ai jamais démentie.

Les paupières d'Hélène se fermèrent comme si elle venait de tourner une page sur ses souvenirs. Quand elle les rouvrit, d'autres sensations se réveillèrent, avec une impression de vide lancinant.

Dans la clairière, les trois corbeaux tournaient la tête par saccades, d'une façon mécanique.

— C'est à cause de la petite Ravenne que vous vous êtes laissé entraîner ? dit Fabienne.

— C'est possible.

Le plumage des oiseaux brillait sous la lumière.

— Mon Dieu, ce que je peux être bête ! s'écria soudain Hélène. C'est comme ça qu'il l'a retrouvé !

— De qui parlez-vous ?

— De l'assassin ! C'était devant mes yeux depuis le début et je n'ai rien vu... Raven veut dire corbeau en anglais ! Lorsqu'il a pris le nom de Ravenne, Guillaume Desmeuraux ne l'a pas fait au hasard ; il a choisi ce nom...

— Vous pensez que...

— ... Que ça lui rappelait quelque chose ? J'en suis sûre ! « Le Corbeau est mort », c'est ce que le tueur m'a annoncé au téléphone. Pour lui, Desmeuraux, Ravenne, peu importe le nom, c'était le « Corbeau ». C'est probablement sous ce nom qu'il l'a connu.

— Desmeuraux a changé de nom après la guerre. Donc, c'est avant...

— Oui. C'est avant son changement de nom. Buzinski a fait des commentaires là-dessus mais son écriture n'est pas facile à déchiffrer. D'après vous, qui pendant la guerre pouvait porter ce genre de surnom ?

Fabienne réfléchit quelques instants.

— Les membres de la Résistance, je pense. A moins qu'il ne s'agisse d'un autre genre de « corbeau » ; le genre qui écrit des lettres anonymes pour dénoncer les autres.

— Dénoncer qui ? Des résistants aux nazis ? Ça pourrait marcher. Ça expliquerait la vengeance sur Desmeuraux, mais pas le meurtre de sa femme et de sa fille. Il doit y avoir autre chose...

Hélène fixait les trois corbeaux. Les trois Ravenne, songea-t-elle soudain. Ils sont là au bord de la tourbière. Ils attendent qu'on leur rende justice.

— Ce que je comprends moins, dit soudain Fabienne, c'est pourquoi vous faites appel à une fille comme moi ?

Hélène tourna la tête. Elle l'observait sous ses longs cils.

— J'ai besoin de quelqu'un qui m'ouvre les portes.

Fabienne haussa les épaules.

— Je suppose que je n'ai plus le choix, remarqua-t-elle.

— Non, dit Hélène avec lenteur. Vous ne l'avez plus.

Fabienne jeta un regard vers les bois qui les entouraient.

— Vous croyez qu'il nous observe ?

— Ça ne m'étonnerait pas. Je fais partie de son futur.

— Pourquoi s'expose-t-il ainsi en sortant de son silence ?

— Pour avoir sa légende, et c'est moi qui suis chargée de l'écrire. Je suppose qu'il voit ça en plusieurs tomes. Vous savez ce dont il est capable, aussi ne vous fiez à personne. Ni à un ami d'enfance, ni à un vieillard impotent, ni à un flic en uniforme ; ne restez jamais seule à la médiathèque, ne recevez personne chez vous, et évitez les dîners romantiques.

— Oh, pour les dîners romantiques ce ne sera pas très difficile... C'est à vous que ça risque de poser un problème.

— Plus de danger. J'ai laissé un message à Léo. Il voulait me rejoindre.

— C'est comme ça qu'il s'appelle ?

— Il veut m'épouser, mais il n'est même pas divorcé.

— C'est ça qui vous rebute ?

— Non. Simplement ça ne s'est pas produit.

— Quoi donc ?

— Le déclic.

— Ah ! Dans ce cas, par qui commençons-nous ?

— Par Desmeuraux. Quand nous saurons pourquoi il se faisait appeler le « Corbeau », nous aurons une meilleure perspective. Vous connaissez quelqu'un à la mairie ?

— Oui.

— Demain, je ferai en sorte d'avoir l'assassin derrière moi. Vous aurez le champ libre.

4

La pièce sentait le tabac refroidi. Un planton ouvrit une fenêtre pour aérer. Le commandant Berthier, un homme aux épaules massives et voûtées de portefaix, se tourna vers les membres de son équipe et annonça :

— Dans une demi-heure, j'ai une déclaration à faire aux médias concernant Laura Masson. Résumons-nous !

Il avait une voix forte, mais parlait doucement. Il se tourna vers la jeune femme de l'IRCGN * qui avait examiné le corps de Laura dans la décharge.

— Sabine, les causes de la mort ? Accidentelles ?

— Sur le plan purement médical, accidentelles, commandant, répondit-elle, consultant le dossier qui se trouvait devant elle. Le sang de Laura Masson contenait de la MDMA **, de la cocaïne, et de l'alcool ; les trois en quantités non létales. La gamine souffrait d'un prolapsus de la valve mitrale non détecté. J'ai vérifié son dossier médical. Elle a eu un arrêt cardiaque.

— Des traces de violences ?

— Les meurtrissures des poignets ne sont pas *post mortem*. Elle était vivante lorsqu'on l'a ligotée. Elle a eu des rapports sexuels, mais pas de cellules étrangères sous les ongles ; pas de contusions, pas de traces de pénétration forcée...

— Attendez une seconde ! coupa Berthier. A-t-on abusé d'elle ?

* Institut de recherches criminelles de la gendarmerie nationale.

** Ecstasy.

Sabine prit le temps de réfléchir.

— Difficile à dire. Je ne sais pas si elle était consentante... pour avoir des rapports sexuels. Elle l'était pour inhaler de la cocaïne et boire de l'alcool, parce que rien ne permet de penser qu'on l'y ait forcée. Pour la MDMA, elle seule aurait pu nous le dire.

— On ne peut pas exclure qu'on la lui ait fait prendre à son insu pour la violer ?

— Non. Mais on ne peut pas l'affirmer non plus. En tout état de cause, celui ou celle qui lui a fourni la MDMA ne pouvait pas savoir qu'elle aurait une réaction de ce type.

— Comment expliquez-vous qu'on l'ait attachée ?

— Elle devait être dans les vapes, autrement nous aurions retrouvé des traces de lutte. Je miserais plutôt sur un fantasme du partenaire...

Berthier regardait la série de photos prises à la déchetterie.

— Continuez.

— Pas de sperme dans le vagin mais un lubrifiant pour préservatif. Impossible de dire si elle a eu un ou plusieurs partenaires.

— Pour le moment nous allons considérer qu'elle n'en a eu qu'un. L'heure approximative de la mort ? demanda Berthier.

— Entre 20 heures et 22 heures, la veille du jour où on l'a découverte.

— Ça nous ramène à mercredi soir. On commencera par ceux qu'elle fréquentait et on élargira le cercle si nécessaire. Il faut tout passer à l'épuisette ; la drogue ça se prend en groupe, en général. On doit remonter jusqu'au fournisseur. Pour moi, c'est un homicide. Langlois, vous êtes en charge de l'opération sur Nantua. Explorez en direction des raves, des réunions..., le bordel habituel, quoi. Posez des questions, laissez traîner vos oreilles. Invoquez la sécurité des gosses. Faut savoir avec qui la petite se trouvait l'après-midi de mercredi. Demandez une description des étrangers. Il nous faut la liste des sociétés de ramassage de déchets et les noms des chauffeurs en service. Sabine, je voudrais que vous disiez à l'équipe ce que vous avez découvert, et qui doit rester, j'insiste, strictement confidentiel.

— Le corps de Laura a été lavé avec une solution d'hypochlorite vraisemblablement pour faire disparaître les fibres et les particules qui nous auraient renseignés sur l'endroit où elle est morte. Pour les mêmes raisons, on lui a rasé le crâne. Ce sont des précautions d'adulte. Des jeunes auraient paniqué dans ce type de circonstances.

— Je suis d'accord, dit Berthier.

5

Le lac luisait sous la lune. Il émergea des ténèbres et se mit à nager. Il n'entendait ni le bruissement des sapins ni le clapotis des vagues, que les murmures de rage qui le brûlaient. Il chercha le flux d'un courant glacé pour les apaiser. Il s'arrêta de nager et se mit sur le dos. Au-dessus de lui, un nuage glissa devant la lune. Il revit le moment où on lui avait annoncé que le corps de Laura Masson avait été retrouvé.

Sa Laura !

Il l'avait épiée des heures, des jours, des mois, des années ; il avait vu sa taille s'amincir, ses seins se gonfler, ses fesses s'arrondir. Il revoyait son visage, sa bouche... ses jambes impudiques... la commissure brûlante...

Un autre en avait profité ! Il la lui avait dérobée l'année de ses quinze ans. Son année !

Il était anéanti. Il ouvrit la bouche et poussa un cri de désespoir qu'il fut seul à entendre. Il lui sembla que son appel déchirait la profondeur de la nuit et emplissait l'univers.

Il ferma les yeux, écarta les bras, et se laissa dériver. Peu à peu, les ténèbres perdirent toute consistance et il eut l'impression d'être sans poids, de ne rien ressentir, de ne plus avoir de membres, de perdre la moindre substance physique. Un fil ténu raccordait sa conscience à la réalité primitive enfouie dans son cerveau.

Il n'avait plus rien ! Laura avait été l'unique paysage de son rêve, et il en avait parcouru sans fin les allées. Elle était sa récompense ; celle avec qui il s'apprêtait à passer l'été. Un été qu'il avait imaginé long, moite ; fiévreux. Tant de fois il s'était vu poser la tête sur sa poitrine ; il sentait sa chaleur, il entendait les battements de son cœur, pareils à ceux d'un oiseau terrorisé.

Laura ! Ses joues embrasées, ses cheveux en désordre... ses cils humides collés par les larmes...

Toute sa vie, il avait lutté contre les limites de sa propre condition pour rester fidèle à la Promesse ; il s'était battu pour s'en donner les moyens. Lénore était une révélation ; elle lui avait permis d'accéder à une nouvelle sphère d'existence.

Laura était sa première phase. C'est avec elle qu'il comptait explorer un réseau d'émotions ; des émotions fraîches, décuplées par l'attente et la frustration. Il avait passé des milliers d'heures à étudier comment tendre son filet pour la prendre au piège ; il avait analysé dans les moindres détails la meilleure façon de se débarrasser du corps, pour recommencer sans risques, sans fin ; au-delà de la contingence du châtiment.

Changer de ville, recommencer. Changer de ville, recommencer... sans risques... sans fin... sans risques... sans fin...

Il se demanda si au fond de ses cellules un matériel génétique exceptionnel faisait de lui ce qu'il était.

Laura ! Si fraîche, si limpide ! Sa chevelure soyeuse, son profil adorable, ses lèvres entrouvertes, la cicatrice sur son genou droit...

Il *devait* se remettre en chasse. En trouver à tout prix une autre.

Demain ?

Son cœur cognait. Seul dans le noir, insensible au froid, il était pris du désir d'exercer un contrôle physique sur un autre être ; un contrôle sexuel puissant, avec au bout la récompense, la souffrance et la mise à mort.

Il ne devait pas céder à sa pulsion ! C'était une simple émotion dans son cerveau. L'ordre ne serait pas transmis.

Le mécanisme de sécurité qu'il avait développé tuerait le messager. L'assortiment de fusibles, l'arsenal de molécules qu'il sécrétait pour dissimuler en permanence sa véritable nature jouaient pour prévenir le déraillement, arrêter le geste révélateur.

La ville allait grouiller de journalistes. L'attente lui parut terrible. Il songea à assouvir sa frustration sur la Chinoise. Il l'avait suivie une partie de la journée ; elle avait erré sans but, attendant peut-être qu'il prenne contact avec elle.

Ses plans continuaient. Il allait les différer. Il manipulerait la Chinoise ; il l'exciterait, la déprimerait ; il en ferait sa chose. Il l'avait incorporée dans son paysage ; il l'aiderait à créer ce personnage dont elle raconterait la quête d'absolu. Nul ne devinerait que derrière la fiction romanesque se dissimulait une réalité où l'agonie des victimes et son propre plaisir fusionnaient.

Son esprit s'éclaircissait. Il avait des projets. Ils nécessiteraient des ajustements mais l'exaltation faisait palpiter l'imagination ; il sentait le flux et le reflux de son sang.

Soudain, il réalisa qu'il avait oublié l'essentiel. Qui, sous ses propres griffes, avait dévoré sa proie ?

La question se mit à le hanter. Il ouvrit les yeux et recommença à nager. Il avançait silencieusement. Le clapot masquait son sillage. L'ombre pâle de son corps nu luisait sous la surface des eaux comme le ventre d'un requin.

6

La jeune fille posa sa bicyclette contre le mur. Ses chaussures à la main, elle ouvrit la porte de service et pénétra dans la maison. Elle tourna un interrupteur et la pièce fut plongée dans l'obscurité.

Au bas d'un escalier, elle laissa tomber ses chaussures. Au premier étage, dans la pénombre du couloir, elle ouvrit une porte et entra dans une chambre. Au bout de quelques secondes, une bougie s'alluma. La fille enleva sa minijupe blanche et garda son tee-shirt. Elle prit un CD et le glissa dans un lecteur. Les premières mesures de *My lover's gone*, de Dido, résonnèrent dans la pièce.

Dans le garage, une voiture noire s'était garée. Une ombre descendit. Seul le crissement de ses sneakers sur le sol troublait le silence. Une fois à l'intérieur de la maison, l'ombre se dirigea vers l'escalier. Elle s'arrêta un instant, ramassa les chaussures, et monta les marches.

Dans la chambre, la fille terminait sa ligne de coke quand elle se figea. Elle fourra l'enveloppe en plastique et le billet roulé dans une pochette de velours noir et la dissimula sous le matelas.

L'ombre déboucha sur le palier. Dans la chambre, la fille tourna lentement la poignée de la porte et sortit dans le couloir. Elle s'avança prudemment. Soudain, elle s'arrêta. Un homme se tenait devant elle. Elle pointa un doigt dans sa direction :

— Bang ! dit-elle en éclatant de rire. Je t'ai eu.

Elle baissa le bras, prit l'homme par la main et l'entraîna dans la chambre.

Il n'y avait que la faible lueur de la bougie qui jetait des ombres gigantesques sur les murs.

La fille s'étendit sur le lit.

— Qu'est-ce qui te prend de venir comme ça, sans prévenir ?

Elle eut un sourire et enleva son tee-shirt. Elle ne portait pas de soutien-gorge.

— Baise-moi ! souffla-t-elle.

Il s'approcha.

— Bon Dieu, arrête !

La fille s'était mise à genoux. Elle s'avança jusqu'au bord du lit.

— Tu en as encore pris, hein ! T'en as plein les narines ! T'es complètement folle ! gronda-t-il la saisissant aux épaules.

Il regarda autour de lui puis souleva le matelas. Il prit la pochette.

— C'est lui, hein ? dit-il en secouant la fille. Tu es retournée le voir... T'as pas compris qu'il peut se débarrasser de toi !

Elle se dégagea.

— Tu me fais mal, connard ! cria-t-elle.

Il cherchait à la calmer, à présent.

— Sylvie, je t'en prie !

— T'as pas compris ! Paye-toi un appareil, vieux con, t'as l'âge d'être sourd !

Elle recula jusqu'à l'autre extrémité du lit.

— Il l'a balancée dans les ordures ! C'est tout ce qu'il a trouvé ! Le salaud ! cria-t-elle.

Elle s'affala en sanglotant. L'homme fit le tour du lit et vint s'asseoir près d'elle. Il posa une main sur son épaule.

— Calme-toi, baby.

La fille releva la tête, l'observa, puis éclata d'un rire hystérique. Elle se mit sur le dos.

— Donne-m'en encore ! dit-elle.

Une grimace de lassitude tordit les lèvres de l'homme. Il paraissait à bout de souffle. Dans la rue, les lampadaires brillaient d'une lumière spectrale.

7

Au cimetière, les ombres se détachaient sur un ciel aussi bleu que la mer. Le cercueil était en terre à présent. Laura n'avait probablement pas été assassinée de façon délibérée, avait annoncé le commandant de gendarmerie dans une interview télévisée. Un homicide involontaire, provoqué par la combinaison malheureuse d'une malformation cardiaque et l'ingestion de drogues violentes et hallucinatoires.

— Pour Laura, reconnut Fabienne, je ne crois pas qu'il s'agisse du même type. Vous aviez raison.

Elle se tenait en compagnie d'Hélène un peu à l'écart de la tombe devant laquelle la foule continuait à défiler.

— Ce n'est pas le genre de prédiction dont on peut être fière, dit Hélène.

La veille, elle s'était rendue aux obsèques de Mme Buzinski. Elle avait éprouvé une immense culpabilité à se recueillir, alors que son assassin courait toujours.

— J'ai vu Melik Marmaris tout à l'heure à la sortie de l'église, reprit-elle. J'ai eu l'impression...

— Langlois et Jérôme Joffré ! souffla Fabienne, en baissant la tête.

Le gendarme et le professeur de lettres avaient surgi à leurs côtés. Ce dernier s'était remis à dodeliner de la tête ; on aurait dit un animal en celluloïd. Il portait un costume gris sur une chemise blanche, avec une cravate noire. Ses cheveux étaient assortis à une moustache d'un blond soigneusement entretenu, à la Errol Flynn. Langlois était en civil. Un insigne de la gendarmerie brillait à sa boutonnière.

— Une de mes meilleures élèves ! J'aurais dû savoir ce qui n'allait pas, dit Jérôme Joffré avec une grimace douloureuse.

— Ne vous culpabilisez pas, dit Langlois. Ce n'est pas la première ado qui se laisse tenter malgré nos mises en garde.

Joffré sortit de sa poche un mouchoir immaculé et s'essuya le front.

— Je sais, dit-il, mais quinze ans c'est un peu jeune pour mourir. Si on s'estime impuissant en tout, alors autant ne rien faire et rester chez soi.

— Fabienne m'a parlé de vous, dit Langlois à Hélène, changeant de conversation. J'aurais aimé faire votre connaissance dans des circonstances moins dramatiques.

Hélène remarqua que ses yeux étaient froids comme de la glace.

— Tout ce que nous pouvons souhaiter c'est que la mort de Laura ne reste pas inutile, dit Joffré.

— Et son père ? demanda Hélène. Je ne l'ai aperçu ni à l'église ni au cimetière.

— Ses parents étaient divorcés, répondit Fabienne. Son père vit à l'étranger. Il ne peut pas ou ne veut pas rentrer en France. Je ne sais pas exactement.

Joffré, qui avait marqué un temps d'arrêt, se tourna vers Langlois.

— Vous êtes certain qu'il ne s'agit pas d'une mort provoquée ? demanda-t-il, comme s'il poursuivait une idée fixe.

Le gendarme eut un geste qui visait à le dissuader d'aller trop loin.

— Tout concorde avec la théorie de l'homicide involontaire. A ce stade, je n'en sais pas davantage.

— Vous voulez dire que ce n'est qu'une théorie ! s'indigna Joffré. Si la mort n'est pas accidentelle... qui pouvait avoir des raisons de tuer cette gamine ?

— Pour être franc, je n'en ai pas la moindre idée. Je compte sur votre collaboration pour éclaircir ce point.

— Ma collaboration ?

— La vôtre et celle de Fabienne, dit Langlois d'un ton confidentiel. Laura était votre élève, et c'était aussi une assidue de la médiathèque. J'ai besoin de savoir qui elle fréquentait, quels étaient ses goûts ; tout ce que vous pourrez glaner sur ses sorties, sur ses relations, nous sera utile. Les jeunes se confieront plus facilement si c'est vous qui posez les questions. Le moindre détail, même s'il vous paraît sans importance, peut aider l'enquête.

Joffré se mit à hocher la tête, et Hélène eut l'impression que le mouvement durait une éternité.

Un peu plus tôt, elle avait pénétré dans la pénombre de l'église. Les rites qui accompagnaient l'arrivée du cercueil étaient achevés. Une foule se pressait sur les bancs ; l'orgue jouait en sourdine. Hélène s'était assise sur un banc, près de la sortie. Le prêtre avait gagné la chaire, revêtu des ornements. Le silence s'était fait.

La cérémonie s'était déroulée sur un fond de musique d'orgue, dans une succession de chants et de prières.

Yves Grandet, le directeur du lycée, avait prononcé l'éloge funèbre. Il parlait de Laura comme s'il s'agissait de sa propre fille, évoquant l'enthousiasme de sa jeune vie ; bien sûr, comme tous ici, il se sentait responsable de cette mort ; responsable de ne pas avoir su la prévenir. Ses traits trahissaient le combat qu'il livrait pour ne pas céder à l'émotion. Puis le prêtre avait récité des psaumes et l'orgue s'était remis à jouer.

Hélène n'avait pas attendu que la procession rejoigne le parvis ; elle s'était dirigée vers la sortie.

Dehors, sous la lumière minérale de juillet, les véhicules du cortège se rassemblaient. De l'autre côté de la rue, un groupe de journalistes et de cameramen attendait. Un photographe de la gendarmerie, appuyé au toit d'un véhicule, prenait en photo ceux qui quittaient l'église.

Avant même de retrouver la conscience de ce qui l'entourait, Hélène avait entrevu une silhouette vaguement familière. Elle avait mis quelques secondes pour reconnaître l'ex-petit ami de Fabienne ; le Turc aux grandes mains. Il venait vers elle.

Vêtu d'une chemise et d'un pantalon de couleur sombre, il tenait une veste pliée sous le bras.

— Je pensais que vous aviez quitté Nantua, dit-il, arrivé à sa hauteur. C'était une belle cérémonie. Vous allez au cimetière ?

La voix ! Difficile de la reconnaître : l'assassin était un maître dans l'art de l'illusion.

— Oui, j'y vais.

Derrière ses lunettes noires, elle n'avait pu s'empêcher de regarder les mains du Turc. Des paumes larges et épaisses qu'elle avait imaginées se refermant autour de son cou, la nuit où l'assassin avait pénétré dans sa chambre au Brochet bleu.

— Vous connaissiez bien Laura ?

La question n'avait pas ému le Turc, malgré le soupçon qui y traînait.

— Non, mais la mort d'un jeune de la région nous concerne tous. A propos, je m'appelle Melik Marmaris.

La foule s'amenuisait. Les gens regagnaient leurs véhicules. Le cortège s'était mis en mouvement, précédé d'une voiture de la gendarmerie.

Marmaris se tenait tout près d'Hélène. A la toucher.

— Vous savez, j'ai de l'admiration pour vous. J'ai rencontré dans ma vie peu de personnes dont l'écriture m'ait autant touché.

Elle s'était contentée de hocher la tête. Il avait souri, découvrant des dents très blanches.

— Vous avez changé de parfum ? avait-il demandé.

Qu'essayait-il ? Une approche au ralenti ? Elle avait haussé les épaules et répondu :

— J'en ai mis un de circonstance.

— Il vous va bien. C'est quoi ?

— *Obsession*.

Il était demeuré songeur avant de dire :

— A plus tard. Si vous restez à Nantua, nous aurons peut-être l'occasion de nous revoir.

Elle l'avait vu s'éloigner sur l'asphalte brûlant, au milieu d'un ballet de voitures, et elle s'était rendu compte à quel point l'espace autour de lui était électrique et tendu.

Toussainte Leca était sortie la dernière. Elle portait un ensemble noir très chic et un chapeau ; une paire de lunettes Christian Dior dissimulait la moitié de son visage.

— Plutôt émouvante, l'oraison de Grandet, avait-elle dit à Hélène. J'aurais cru qu'il parlait de sa propre fille.

*

Jeff Morel se trouvait au volant de sa voiture. A la radio, la musique s'organisait en un fond sonore qui lui permettait de réfléchir. Il avait joué au jeu des questions et des réponses, ce qui revenait pour lui à entrer dans une zone d'excitation extrême.

« Je dois mettre bout à bout les morceaux d'information que les autres trouvent insignifiants », se disait-il

Il alluma une cigarette et tira une longue bouffée. Dans vingt minutes, il serait au cimetière. Il espérait y trouver du monde.

Ces deux derniers jours avaient été plutôt agités. Il sortit de sa poche une feuille de papier sur laquelle il avait inscrit le maigre résultat de ses investigations. Il mit ses lunettes et y jeta un rapide coup d'œil.

« Il faut que tu avances vite, Jeff », murmura-t-il.

Il avait passé une partie de la nuit dans un bar rempli de filles seules. Ce n'était pas le genre d'endroit que fréquentait Morel, à vingt euros le verre de whisky, mais il était son propre invité. Il n'était pas allé jusqu'à s'offrir une nuit d'amour, en raison d'un budget trop étriqué.

A bien réfléchir, un peu de pub sur Jeff Morel ne ferait pas de mal à Jeff Morel, s'était-il dit. Il était temps de songer à une grande carrière : la sienne. Les BigMac et les Coca-Cola light commençaient à lui détraquer l'estomac.

En arrivant près du cimetière il constata que les obsèques étaient terminées. Il se gara et ferma à clé sa voiture. Dans un champ, un cheval roux tournait autour d'un piquet.

La mort de Laura Masson, pour dramatique qu'elle fût, n'entrait pas dans les préoccupations de Morel. Il était venu pour poser sous le couvert des banalités d'usage des questions sur l'affaire qui l'intéressait. Il avait passé les dernières quarante-huit heures à fouiller les archives du CHRD* et à interroger les responsables du Centre. Il avait le nom d'un ancien déporté de Buchenwald encore vivant : un prêtre originaire de Nantua, trop vieux pour assister aux réunions de l'amicale.

En pénétrant dans le cimetière, il vit Fabienne Thomas-Blanchet et Hélène Wang longer une rangée de tombes. Ses craintes étaient justifiées ! La Chinoise traînait dans la région, et pas pour y faire du tourisme. Il fallait qu'il la tienne à distance tant qu'il ne connaîtrait pas ses véritables motivations. Il devait en avoir le cœur net. Il lui fallait plus d'informations avant de vendre l'histoire à son rédacteur en chef ; s'il ne parvenait pas à avancer, il devrait attendre la fin des vacances. Pour Morel, la piste, même vieille de quinze ans, était chaude. Il ne pouvait pas se permettre de la laisser refroidir.

Tout en s'approchant discrètement, il s'adressa une mise en garde : Hélène Wang savait utiliser son charme ; et pour son malheur à lui, elle était chinoise.

De là où il était, il devina que les deux femmes étaient en grande conversation. Il était trop loin pour entendre ce qu'elles disaient.

— Vous êtes certaine que c'est la bonne orthographe ? demanda Hélène.

* Centre d'histoire de la Résistance et de la Déportation.

— J'ai vérifié sur le registre des naissances. C'est bien eux, répondit Fabienne. Tout correspond. Regardez les dates.

Hélène s'approcha de deux pierres tombales et lut à haute voix.

— Ernest Desmeuraux, décédé en 1946 ; Rose, son épouse, morte en 1950.

— Suivez-moi. Je vous réserve une surprise.

Elles repartirent vers le fond du cimetière. Dissimulé derrière un arbre, Morel trouvait le manège étrange. Fabienne, un bout de papier à la main, paraissait chercher un endroit précis.

Le soleil faisait palpiter les feuillages et les cimes des arbres frissonnaient sous les premières brises de l'été. Dans le ciel, un oiseau montait de plus en plus haut.

— C'est là ! s'écria Fabienne.

Hélène secouait la tête, incrédule. La tombe qu'elle avait devant elle n'était pas entretenue. Une plaque de marbre, jaunie par les intempéries, portait l'inscription : *A notre fils bien-aimé Guillaume Fabrice Desmeuraux, mort après sa déportation au camp de Buchenwald. 1929-1947.*

— Mon Dieu ! Ses propres parents l'ont cru mort !

— Non, je pense qu'ils étaient dans le coup, répliqua Fabienne. Cette tombe date de 1947, soit un an après la mort du père Desmeuraux. La concession des Desmeuraux était pour deux tombes, pas trois. Si le fils est vraiment mort en 1947, Rose, sa mère, l'aurait enterré à côté de son père.

Hélène leva les yeux.

— Fabienne, vous êtes géniale !

— Ce n'était pas bien difficile. Je savais ce que je cherchais.

Morel continuait à les surveiller. Que pouvaient-elles fabriquer à arpenter ce cimetière en examinant les tombes ?

Il décida de ne pas se montrer. Il retrouverait Hélène plus tard. Il repéra avec soin la rangée où elles se tenaient, se promettant d'y jeter un sérieux coup d'œil après leur départ.

A aucun moment il ne devina qu'il était lui-même épié.

8

Fabienne eut un sourire plein de promesses. Le vin avait achevé de gommer l'expression tendue de son visage, mais quelque chose de secret paraissait la ronger. D'un commun accord, Hélène et elle avaient décidé de ne pas aborder le sujet Desmeuraux.

Hélène fit signe au garçon d'apporter une autre bouteille de vin.

— Vous essayez de nous soûler ?

— Franchement, c'est ce que nous avons de mieux à faire.

Après les obsèques, Hélène était rentrée à l'hôtel et avait dormi une grande partie de l'après-midi. A son réveil, elle avait trouvé un message de Morel, le journaliste du *Progrès* qui l'avait interviewée. Il avait laissé un numéro, mais Hélène ne l'avait pas rappelé.

— L'avantage de la province, c'est qu'on n'a pas besoin de chercher les gens, on sait où les trouver, chuchota Fabienne. Devinez qui vient de s'asseoir au bar ? Ne vous retournez pas, il nous regarde. Il n'a pas l'air content de nous voir ici.

— J'ai l'impression qu'il s'agit de votre ami turc.

— Ex-ami. Il n'est pas seul.

— Une femme ?

— Plutôt une gamine.

— Sa fille ?

Fabienne pouffa dans son verre.

— Ça se pourrait ! Elle s'appelle Sylvie Martin ; c'est une élève de terminale..., une petite pute plutôt mignonne.

Le garçon était revenu. Fabienne attendit qu'il ait rempli leurs verres pour dire :

— En quittant le cimetière, je suis retournée à la mairie.

— Vous avez découvert autre chose ?

Melik Marmaris et la fille passèrent devant leur table et allèrent s'installer à l'écart, hors de leur vue.

— Il se prend pour Modigliani, dit Fabienne.

Marmaris, vêtu de lin blanc, portait une écharpe de soie et un panama. Il ne manquait pas d'allure ; le genre qui passe son temps dans les cafés élégants à l'heure de l'apéritif.

— Vous êtes toujours amoureuse ? demanda Hélène.

— Amoureuse, non ; mais j'aimais bien sa compagnie.

Elle jeta un regard autour d'elle.

— Je ne sais pas si vous avez remarqué, mais nous sommes pratiquement les seules à ne pas donner dans le dîner romantique.

Elle prit une tranche de pizza et y mordit.

— Inutile de compter les calories, dit-elle.

— Vous voulez qu'on parle de lui ?

— Oh, le personnage n'est pas très intéressant. Qu'est-ce que vous me demandiez juste avant ?

Fabienne s'essuya les doigts avec une serviette en papier.

— Si vous aviez découvert autre chose en retournant à la mairie.

Elle semblait hésiter.

— Écoutez, tout ça va vous paraître tiré par les cheveux. Au point où nous sommes, une spéculation de plus...

Elle s'arrêta.

— J'oublie que ce soir nous ne devons pas aborder ce sujet...

Hélène vida son verre de vin.

— C'est vous qui avez commencé. Et de toute manière c'était une résolution de femmes sobres, pas de femmes ivres.

— Dans ce cas... En partant de ce que vous m'avez raconté et de la probabilité d'un prochain meurtre, j'ai fait ma petite enquête... Qu'est-ce qui vous fait rire ?

— Rien, Fabienne, rien. C'est nerveux. Continuez, s'il vous plaît.

— Disons que Desmeuraux a fait croire à sa mort pour fuir une menace. Il a changé son nom en Ravenne, « corbeau » en anglais. Je pense qu'il a choisi ce nom pour rester fidèle à un épisode de sa jeunesse qui lui était cher. Ce surnom représentait beaucoup pour lui. C'est ça ?

— C'est ça.

Le brouhaha des conversations paraissait lointain. Il régnait dans le restaurant une odeur d'épices et de feu de bois. Le Ranch, comme tous les vendredis soir, était encombré et bruyant.

Fabienne se cala au fond de sa chaise.

— Et s'il n'était pas le seul à avoir changé de nom ?

Hélène se pencha.

— Il y en a d'autres ? demanda-t-elle doucement.

Fabienne hocha la tête.

— J'en ai trouvé un. Il s'appelle Claude Mayeux. Il a été « enterré » presque en même temps que Guillaume Desmeuraux. Lui aussi est supposé être mort à son retour de Buchenwald. J'ai téléphoné à un ami à la Bibliothèque nationale et je lui ai demandé de consulter les journaux officiels de 1945, l'année où Desmeuraux a obtenu son changement de nom.

Elle observait Hélène. Celle-ci semblait mal à l'aise.

— Vous ne voyez pas où je veux en venir ?

— Franchement, non. Avec tout ce vin..., j'ai la tête...

— En 1945, Mayeux aussi a changé de nom. Vous ne trouvez pas ça bizarre, vous ?

Hélène haussa les épaules.

— Si. Mais quel rapport avec Desmeuraux ?

— Mayeux s'est rebaptisé Luc Volppes... Quel est le nom de famille de Laura ?

— Masson, je crois.

— Masson, c'est le nom de jeune fille de sa mère. Vous ne voyez toujours pas ?

Fabienne alluma une cigarette et tira une bouffée. Elle expira lentement la fumée.

— Le père de Laura s'appelle Luc Volppes ? chuchota Hélène.

— Exact ! Ça ne vous donne pas une idée de la suite ?

Hélène s'était mise à murmurer le nom de Volppes comme une litanie. Elle avait le sentiment de savoir quelque chose qui lui échappait. Brusquement elle se figea, stupéfaite.

— Volpe, c'est un renard en italien !

— Mayeux a changé d'orthographe quand il a pris ce nom ; Volpe est devenu Volppes. Desmeuraux a fait de même : Raven s'est écrit Ravenne. « Le renard et le corbeau » ; les deux compères ont gardé leurs surnoms, un truc important de leur jeunesse..., quelque chose qu'ils ont partagé et dont ils sont restés fiers.

Fabienne posa sa cigarette, jeta un regard autour d'elle et se pencha :

— Pour Laura, ça ne change rien. C'était bien un accident.

Hélène semblait chercher à tâtons dans ses souvenirs.

— Lénore a été tuée l'année de ses quinze ans et Laura *venait* d'avoir quinze ans... C'est d'elle qu'il parlait, Fabienne ! On la lui a enlevée sous le nez !

Hélène avait la gorge sèche. La tête lui tournait. Elle but d'un trait un verre d'eau minérale. Fabienne avait laissé sa cigarette s'éteindre dans le cendrier.

— Alors, il était à l'enterrement. Il ne pouvait pas manquer ça, dit-elle. C'est impossible que vous ne l'ayez pas repéré.

Hélène haussa les épaules.

— Je ne sais pas de quoi il a l'air. Il se déguise.

Elle fouilla dans son sac et en tira le dossier que Mme Buzinski lui avait remis.

— Cette femme, dont on a retrouvé le corps dans les Glacières du Roi, vous vous souvenez d'elle, je vous en ai parlé ? demanda Hélène en sortant un feuillet du dossier.

— Celle qui était dans un asile de dingues ? Flora... je ne sais plus qui...

— Flora Marchand. Voilà ce qu'elle disait de l'assassin : *Aujourd'hui, il est venu. J'ai toujours peur quand il est là. Il porte son déguisement ; il ne veut pas qu'on sache qui il est.*

— Ça ne nous avance pas beaucoup. Si c'est Laura qu'il envisageait de tuer et si quelqu'un l'a devancé...

— Pas devancé, volé ! Dieu sait combien d'années il a attendu et fantasmé sur la fille... Il doit être enragé...

— C'est gai, soupira Fabienne. Si on continue à creuser comme ça, il va nous tomber dessus. Il serait peut-être temps d'alerter les gendarmes.

Hélène eut un sourire.

— Vous avez peur, vous ?

— Un peu. Ça devient de moins en moins abstrait. Vous n'avez pas peur, vous ?

— Si, mais la police ne lui mettra pas la main dessus, pas plus qu'elle ne me protégera s'il décide de me tuer.

— Le gendarme Langlois est un ami. Je peux lui en parler.

— Quel âge a-t-il ?

— Dans les quarante ans, et il est marié.

— Ça ne change pas grand-chose. Il entre dans la fourchette d'âge des suspects. Il n'y avait pas de traces d'effraction dans ma chambre au Brochet bleu, et tous les flics ont un passe !

Malgré les circonstances, Fabienne éclata de rire.

— Vous n'êtes pas un peu parano ? Je n'y aurais jamais pensé.

— Eh bien, maintenant vous allez y penser. Ce n'est pas un jeu, dit Hélène.

dans la région où il est né. Là, pendant quarante ans, Ravenne — c'est son nouveau nom — va mener une vie tranquille quand un tueur sorti du passé le prend en chasse. Pour brouiller sa piste, Desmeuraux change si souvent de domicile que sa fille n'a pas le temps de se faire des amies. L'homme est si effrayé qu'il dort un fusil chargé à portée de la main. A aucun moment il ne préviendra la police du danger qui le menace. L'assassin est sur ses talons. Un soir, il s'introduit au domicile de Desmeuraux, tue sa femme, et attend le retour du mari. Les gendarmes découvrent le couple baignant dans une mare de sang et le parquet conclut à un drame de la folie. Desmeuraux, dans un accès de démence, et après avoir poignardé sa femme, a mis fin à ses jours. Leur fille de quinze ans, Lénore, ne sera jamais retrouvée.

Le journaliste voyait les gros titres : « L'affaire Desmeuraux ou le triple assassinat de Villar-les-Dombes ; une enquête exclusive de Jean-François Morel. »

Les images battaient dans sa tête. L'histoire était incomplète ; il lui manquait la conclusion. Elle comprenait trois volets. Qui était Guillaume Desmeuraux ? Pourquoi les avait-on pris en chasse, lui et sa famille ? Quelle était l'identité du ou des meurtriers ?

Cette chance, qu'il avait sentie faire irruption dans sa vie, Morel la voyait s'éloigner à grands battements d'ailes ; il n'était plus sûr de rien, et surtout pas de lui-même.

La veille, une idée lui était venue pour son bouquin. Il raconterait l'histoire sous la forme d'un journal tenu par les protagonistes. Ainsi, grâce à Jeff Morel, la famille Desmeuraux retrouverait sa dignité et justice serait faite.

Le journaliste prit soudain conscience qu'il n'était plus seul dans le cimetière. Il leva les yeux. Dans l'allée, un vieillard venait vers lui. Sa blouse noire flottait autour de son corps, et il était courbé comme par le poids d'une vie entière de labeur et de privations. Il claudiquait, s'aidant d'une canne, et tenait à la main un bouquet de fleurs des champs.

Fabienne pensa à Lénore et à la femme de l'inspecteur Buzinski, et son brusque accès d'optimisme disparut.

— Il doit être impatient de se venger, reprit Hélène après un moment. Il va tout faire pour découvrir celui qui s'est « approprié » Laura, et il va se jeter sur la première occasion pour la remplacer... Il a du travail sur la planche, si je peux m'exprimer ainsi.

— En somme, vous êtes décidée à rester dans l'arène.

Hélène hocha la tête.

— Il a de la difficulté à se contenir, donc il prendra des risques supplémentaires sans s'occuper de nous... et meilleures seront nos chances de le...

L'expression sur le visage d'Hélène s'était durcie. Vue sous cet angle, elle était peut-être moins inoffensive qu'elle ne paraissait au premier abord.

Fabienne se demanda si Hélène lui avait dit toute la vérité et si c'était vraiment les policiers chinois qui avaient appuyé sur la détente.

— Puisque c'est à nous de jouer, qu'est-ce que nous allons faire ? demanda-t-elle.

— Joindre le père de Laura. Il doit savoir qui est à ses trousses, ou plutôt à celles du Corbeau et du Renard.

— Oubliez le père de Laura. Personne n'a ses coordonnées à Madagascar.

— Il crève de peur. C'est pour ça qu'il n'est pas venu à l'enterrement de sa fille. Depuis combien de temps est-il divorcé ?

— Longtemps, sûrement. Laura ne se souvenait plus de lui.

Elles commandèrent des cafés.

— Ce qui me trouble, dit Hélène après un silence, c'est son acharnement après ces deux gamines. Je me doute du plaisir qu'il peut avoir en violant et torturant, mais ces deux filles étaient incluses dans sa vengeance. Il ne les a pas choisies au hasard.

Elle semblait absorbée par un raisonnement intérieur dont elle suivait à voix haute les étapes ; malgré ses efforts pour essayer de percer le masque de l'assassin, rien de précis ne sortait de la brume.

— Il n'est pas de la génération de Ravenne et de Volppes. Il est beaucoup plus jeune.

— Combien ?

— Entre trente-cinq et cinquante, je pense. Le Corbeau et le Renard ! Qu'ont-ils fait pour s'attirer la haine d'un type qui n'était pas encore né ?

Hélène vida le fond de sa tasse.

— J'imagine, reprit-elle, qu'il doit exister une association de résistants dans la région. En général, ces gens ont une très bonne mémoire.

9

Devant le clavier de son ordinateur, Jeff Morel s'apprêtait à taper le compte rendu de sa journée. Il ôta ses lunettes et essuya soigneusement les verres. La fumée de sa cigarette ondulait dans la lumière, et les restes d'un sandwich au jambon traînaient sur le bureau. A l'écran, les lignes se brouillaient devant ses yeux.

Elle avait mal débuté, cette journée, avec la présence d'Hélène Wang et de Fabienne Thomas-Blanchet devant la tombe de Guillaume Desmeuraux. La romancière était sur l'« affaire » ! Il n'y avait plus de doute ; et elle en savait plus que lui.

Il s'était chauffé la tête avec cette histoire. Il avait remonté la piste du plus vite qu'il pouvait pour découvrir qu'on l'avait devancé. Finie la chimère d'une brillante carrière dans laquelle il se voyait déjà installé ; peut-être n'était-il pas fait pour ce type de journalisme après tout. L'investigation n'était pas son domaine, et il n'avait jamais été qu'un simple reporter à la rubrique « Spectacles et expositions ».

Dans le cimetière, la pesanteur du silence avait accentué la déprime de Morel. Tout lui paraissait absurde ; absurde mais étrange, bizarre, intrigant ; tout à fait le genre d'histoire dont le public raffole. Plus il y réfléchissait, plus il était convaincu qu'il tenait le scoop de la rentrée.

Un homme originaire de l'Ain, Guillaume Desmeurau[illegible] qu'on croit mort, réapparaît incognito à Marseille. Profit[illegible] de la pagaille de l'après-guerre, il change de nom et revi[illegible]

Quand il fut proche, le journaliste distingua son visage ; un nez fort, des yeux usés couleur gris souris, des oreilles collées au crâne, une peau parsemée de taches brunes. Les cheveux étaient dissimulés sous un béret. La main qui tenait le bouquet tremblait constamment et les doigts étaient jaunis par la nicotine.

Continuant son chemin, le vieux l'ignora. Sous le coup d'une impulsion, Morel se leva.

— S'il vous plaît ! dit le journaliste.

Le vieux poursuivit son chemin sans broncher. « Vu son âge, il doit probablement être sourd », se dit Morel.

— S'il vous plaît ! cria-t-il.

L'homme s'arrêta. Morel le rejoignit.

— Bonjour. Je m'appelle Jean-François Morel.

Le vieux fut pris d'une quinte de toux.

— Pas la peine de crier, j'suis pas sourd. Vous n'auriez pas une cigarette par hasard ?

Reprenant son souffle, il accepta la cigarette froissée que Morel lui tendait, fouilla dans sa blouse pour en sortir un briquet. Il aspira la fumée et toussa avec indifférence.

— Ce n'est pas maintenant que je vais arrêter, grogna-t-il.

Morel acquiesça et alluma à son tour une cigarette.

— Ma femme... ça va faire huit ans... aujourd'hui... ou demain... je ne sais plus très bien...

Il montra le bouquet qu'il tenait à la main.

— Je les ai cueillies ce matin. Elles sont un peu fanées. J'ai pas pensé à les mettre dans l'eau.

Il regarda Morel.

— Vous avez un parent ici ?

Morel secoua la tête.

— Non, je n'ai personne.

Le vieux s'était remis à marcher.

— Un jeune, ça a pas grand-chose à faire dans un endroit pareil, murmura-t-il.

— Je m'appelle Morel... J'habite Lyon.

— Moi, c'est Henri Gorju, dit le vieux en se tournant vers lui.

— Vous êtes de la région ? demanda Jeff.

— J'y suis né et mon père avant moi, et le père de mon père avant. C'est pas d'hier, ça, c'est sûr...

Il hochait la tête d'un air renfrogné.

— Vous devez connaître tout le monde par ici, fit remarquer Jeff.

Il laissa flotter ces paroles, attendant de constater leur effet.

Le type a au moins quatre-vingts ans, et il ne donne pas l'impression d'être gâteux, se disait Morel. Je peux peut-être en tirer quelque chose.

Le vieux venait de s'engager dans une allée secondaire. Morel se laissa distancer. Il vit la silhouette noire s'arrêter et déposer le bouquet sur une pierre tombale. Après avoir retiré son béret, le vieux parut se recueillir. Quand il revint à sa hauteur, Morel demanda :

— Guillaume Desmeuraux ? Ce nom vous dit quelque chose ?

Gorju parut réfléchir. Il semblait fouiller dans un fatras, un bric-à-brac de souvenirs, qu'il dépoussiérait un par un.

— Ça se peut, dit-il au bout d'un moment. Desmeuraux... ouais... ça me dit quelque chose.

Il lança à Morel un regard méfiant. Le journaliste sortit son paquet de cigarettes. Il lui en restait une qu'il offrit au vieillard.

— Je devrais pas. Une cigarette après le café au lait, c'est tout ce que le docteur me permet...

Du bout de sa canne, Gorju s'était mis à dessiner des arabesques dans la poussière de l'allée.

— En quoi ça vous intéresse ?

— J'écris un livre sur les jeunes du maquis morts en déportation ; un peu pour montrer la chance qu'on a aujourd'hui de ne pas affronter la guerre.

Le vieux haussa les épaules. Ses lèvres sèches ébauchèrent un sourire.

— Des Desmeraux y avait le petit Guillaume, le fils de Rose... Ah, elle en a fait tourner des têtes, celle-là...

Il ferma les yeux comme s'il essayait de mettre au point ces visages.

— Un grand rouquin..., on le voyait jamais à la messe..., on disait qu'il était communiste...

— J'imagine que, comme vous, il était dans la Résistance, dit Morel sur un ton admiratif qu'il jugea de circonstance.

Le vieux eut un geste vague, donnant l'impression qu'il se fichait de tout ça.

— Vous vous souvenez de lui ?

De la pointe de sa canne, le vieux se mit à écrire sur le sol : BUCH.

— Buchenwald ! s'écria le journaliste. Vous étiez à Buchenwald ?

Le vieux resta silencieux, contemplant ce qu'il venait d'inscrire, comme s'il n'avait pas entendu Morel. Ce dernier fouilla dans sa poche et en sortit une feuille de papier.

— A Lyon, on m'a dit qu'il ne restait qu'un déporté encore en vie, de tous ceux qui sont partis d'ici pour Buchenwald.

— Le père Constancieux, murmura le vieillard. Le curé du lycée.

— C'est ça ! Le père Constancieux. Comment se fait-il qu'on ne m'ait pas donné votre nom ?

Le vieux tira une dernière bouffée et écrasa le mégot avec le bout de sa canne.

— C'est ma femme qui était à Buchenwald, monsieur, murmura-t-il. Mariette Vidal, dite Lolo. C'est comme ça qu'on l'appelait à l'époque.

Le journaliste se crut obligé d'esquisser un geste de circonstance.

— C'est extraordinaire !

— Oh, pour ça c'était quelqu'un, ma Mariette. Elle y est même retournée au camp, avec un voyage organisé. J'étais pas d'accord, mais : « Faut que j'y retourne pour chasser les mauvais rêves, Henri », qu'elle disait. Ah ! C'est loin tout ça...

— Et Desmeuraux, il était là-bas lui aussi ?

Le vieux leva la tête et regarda le ciel. Il semblait chercher des signes mystérieux qu'il était seul capable de voir avec ses yeux fatigués.

— J'en sais trop rien. C'était plutôt les histoires à la Mariette ; même qu'elle tenait une espèce de journal sur ce qui s'était passé dans le coin. Un jour ça servira, qu'elle disait...

Morel resta quelques secondes le souffle suspendu. De nouveau, son horizon s'illuminait ; une grande lueur dorée. Peut-être la chance de découvrir le nœud de l'affaire.

— Ben, faut que j'y aille, dit le vieux.

Morel ne pouvait pas se permettre de le laisser filer comme ça.

— Allons boire un coup, dit-il en se raclant la gorge. Je vous raccompagnerai après.

Le vieux secoua la tête.

— Pas aujourd'hui. Après le cimetière je vais à notre coin, celui où Mariette et moi on s'est rencontrés.

— Je comprends... J'aimerais qu'on se revoie, monsieur Gorju, si ça ne vous dérange pas.

— Comme vous voulez.

— Vous possédez toujours le journal de votre femme ?

— Oui, je l'ai toujours. Pourquoi ?

— Ça vous ennuierait que j'y jette un coup d'œil ?

Gorju haussa les épaules.

— Pourquoi qu'ça m'ennuierait ?

— Bon. Alors, comment peut-on se retrouver ?

— Je vous téléphonerai.

Il ne faut pas le brusquer, se dit Morel ; les vieux n'aiment pas qu'on leur mette la pression.

— D'accord, dit Jeff.

Il sortit son bloc et griffonna rapidement le numéro de son portable, déchira la page et la tendit à Gorju.

Le vieux prit la feuille et la glissa dans la poche de sa blouse sans la regarder.

— Vous comptez m'appeler dans combien de temps à peu près ?

— Je sais pas, deux ou trois jours, monsieur...

— Morel. Jean-François Morel.

Gorju fit deux pas et s'arrêta.

— Vous parlerez de ma femme dans votre livre ? dit-il sans se retourner.

— Tout à fait, répondit Morel. Elle a sa place... comme les autres.

— Alors, peut-être bien que je vous appellerai avant.

Le vieux parti, Jeff s'était aperçu qu'il ne lui restait plus de cigarettes. Il avait besoin de fumer pour calmer son excitation. Si les racines de l'affaire Desmeuraux plongeaient dans le grand merdier de la Résistance, des collabos et des nazis, pour lui c'était le jackpot !

Le fameux journal, le « Journal de Mariette », comme Morel l'appelait déjà, pouvait changer sa vie.

La question des droits réglée, il pourrait en inclure des extraits dans ses papiers. Une maquisarde révélant de sa tombe la vérité, ça donnait du poids ; un sacré putain de poids.

Sur la jaquette du bouquin il pensait à un montage ; une photo de Lénore Ravenne et de Mariette, côte à côte...

Le « Journal de Mariette » ou la chance pour Jeff Morel de distancer la Chinoise, Hélène Wang.

LE THÉÂTRE DE SANG

1

La nuit était noire mais ses yeux s'étaient faits à l'obscurité. A plus de minuit, le village était désert. Tapi au fond de la ruelle, il attendait.

Il respira longuement, laissant l'air s'échapper par ses lèvres entrouvertes. Il aimait être à l'affût dans les ténèbres ; son cerveau travaillait à plein. Il devenait une ombre douée de pouvoirs presque surnaturels. Dans ces moments-là, il se sentait différent, peu humain.

Son premier souvenir remontait à un après-midi d'été. Il avait cinq ans. Il jouait avec sa sœur, et celui qui allait tracer son destin taillait une haie avec des ciseaux, de grands ciseaux de jardinier à poignées de bois. La femme, elle, était assise à l'ombre du feuillage. Il avait peur de la regarder. Elle avait les yeux d'une bête morte ; et ces yeux, une fois qu'il les fixait, il n'arrivait plus à s'en détourner.

L'homme l'avait appelé et lui avait donné les ciseaux. Les poignées étaient chaudes et humides, et il avait été hypnotisé par les taches brillantes des lames qui dansaient. Elles s'ouvraient, se refermaient... s'ouvraient... claquaient.

L'homme parlait d'une voix cadencée. Il lui expliquait pourquoi Dieu l'avait mis sur terre, ce qu'il attendait en retour, et les raisons pour lesquelles il ne le laissait pas jouer avec les autres enfants.

« Un jour tu posséderas un pouvoir, mais d'abord je dois extirper la mauvaise graine qui est en toi, disait-il. Je dois l'empêcher de pousser ; je dois la couper tous les jours comme tu coupes ces branches avec les ciseaux. Tu ne dois jamais trahir ton secret. Tu m'entends ? Jamais ! Si les autres l'apprenaient, ils te tueraient. »

Année après année, l'homme l'avait rendu conscient de ses choix. Pour ne plus être menacé de destruction, il devait détruire.

Il avait grandi dans l'attente de vérifier le bien-fondé des présages, et c'est après avoir tué Lénore qu'il s'était rendu compte que l'homme avait dit vrai.

Ce soir-là le ciel était d'un noir de jais, et quand Lénore avait crié il avait aperçu une étoile filante. Un signe qui lui était adressé.

Il regrettait d'avoir abandonné le couteau dans le ventre du Corbeau. Il aurait aimé le conserver, maculé du sang des trois Ravenne. Mais il devait rester efficace et ne pas se laisser distraire par ses émotions.

Il avait eu tant de plaisir avec Lénore que le souvenir s'était transformé en obsession ; à l'époque, il n'avait pas encore découvert comment prolonger son plaisir grâce à une caméra.

La lumière, dans la chambre à coucher, venait de s'éteindre. Un rectangle d'ombre se noya dans la façade de la maison. La femme allait sombrer dans un sommeil artificiel. Il le savait. Il l'avait suivie. Il avait vu et entendu la pharmacienne préparer l'ordonnance : « Un demi-comprimé de Deroxat et deux Mépronizine, le soir avant de vous coucher... »

Il avait tout son temps, il n'était pas en chasse. L'idée avait surgi dans son esprit et il en avait éprouvé un choc. Il n'arrivait pas à croire qu'il ait pu se souvenir d'un pareil détail. C'est bien ce qui le séparait des autres ; sa capacité à tout enregistrer et à retrouver l'information au bon moment.

Il caressa les pierres tièdes du mur contre lequel il s'appuyait. L'odeur de la nuit était entêtante, et le moment lui parut agréable.

Quand il estima avoir assez attendu, il regarda à droite et à gauche, deux fois : pas de passant attardé ; pas d'insomniaque promenant son chien.

Il s'élança et courut jusqu'au renfoncement qu'il avait repéré, de l'autre côté de la ruelle. Il était vêtu d'un survêtement de couleur noire, et ses sneakers ne faisaient aucun bruit sur les pavés. Il longea le mur et franchit sans hésiter la clôture.

Il était dans la cour. Il s'accroupit et écouta. Au loin, un chien se mit à aboyer et le bruit d'une voiture qui passait dans la rue principale résonna. Sans regarder autour de lui il se releva, et la tête rentrée dans les épaules parcourut les quelques mètres qui le séparaient de la porte de service. Il posa la main sur le loquet et l'actionna franchement. Avec un grincement la porte s'entrouvrit.

La maison était sombre et silencieuse, mais il distingua immédiatement le vélo appuyé contre le mur. En s'approchant, il trébucha et manqua de perdre l'équilibre. Il se baissa pour explorer le sol autour de lui. Il avait buté sur une paire de sandales. Ce n'était pas une illusion : il tenait les sandales de Laura. Il se sentit troublé en caressant ce lien intime qui les reliait encore ; des bouffées de chaleur l'envahirent, et son cœur s'emballa sur un rythme aussi rapide que s'il avait couru à perdre haleine. Les fantasmes qu'il avait visionnés dans son paysage, un lieu proche du paradis, lui revenaient à l'esprit. Il éprouva une douleur dans la poitrine et sa gorge se serra à la certitude que Laura, jamais, ne dépendrait de lui.

La perte de Laura l'avait perturbé plus qu'il ne l'imaginait ; il en prenait conscience et sa colère montait de plusieurs degrés. A contrecœur il déposa les sandales contre le mur, se pencha sur le vélo et ouvrit la sacoche accrochée sous la selle. Il en explora le contenu. La caméra ne l'avait pas trompé ! Le petit carnet de Laura s'y trouvait toujours !

La police avait fouillé la maison de Laura, la chambre de Laura, la penderie de Laura, son bureau et ses tiroirs ; elle n'avait pas songé à sa bicyclette.

Lui, qui l'avait si souvent épiée, si souvent filmée, il savait. Il referma la sacoche et repartit aussi silencieusement qu'il était venu, espérant que dans le carnet qu'il serrait entre les doigts se trouvait écrit de la main même de Laura le nom de son ravisseur.

2

Hélène se réveilla plus fatiguée qu'elle ne s'était couchée. Il était huit heures du matin. Le soleil striait les vitres et marbrait la surface du lac. Elle était rentrée trop tard et elle avait trop bu ; ce n'était pas dans sa nature, mais les circonstances étaient plus fortes que l'habitude.

Elle ouvrit les yeux et regarda le plafond. Elle repoussa l'amas de coussins dont elle s'était entourée et alla dans la salle de bains se passer de l'eau sur le visage et se brosser les dents. Dans le miroir, son visage ne gardait pas trop les plis de ce mauvais sommeil.

Elle appela le service d'étage et demanda qu'on lui apporte des glaçons. Elle les vida dans le lavabo rempli d'eau. Retenant son souffle, elle plongea sa tête dans le liquide glacé. Elle renouvela l'opération jusqu'à ce que la glace ne soit plus qu'une infinité de petites choses blanchâtres qui ne refroidissaient plus rien.

Elle se sentait mieux. La barre douloureuse qui enserrait son front avait disparu. Elle prit une douche, s'essuya, enfila un tee-shirt et un pantalon, se coiffa, et déclara en haussant les épaules :

— C'est la curiosité qui tue le chat, ma petite.

Elle quitta l'hôtel et se mit à longer la berge du lac. Un bouquet d'arbres l'abrita bientôt des regards. Il faisait chaud. Elle eut soudain l'envie de se baigner. Elle se déshabilla, posa ses vêtements sur une pierre et se laissa glisser dans l'eau.

Le souffle coupé, elle fit quelques brasses, puis se mit sur le dos. Sa tension nerveuse se dissipait. Dans le ciel, des petits nuages se frangeaient d'or.

Grâce à Fabienne elle avait progressé, mais il manquait toujours la clé de la porte principale, celle du fond du couloir, celle qui donnait sur la tanière de l'assassin. Elle avait conscience de sa présence, là, indistincte, autour d'elle.

Quinze ans auparavant, il avait exterminé la famille Ravenne. Pour un homme aussi tenace, retrouver la trace de Luc Volppes à Madagascar ne devait pas soulever de difficulté majeure. Se venger du « Renard » n'était plus d'actualité ; seule la satisfaction de ses propres désirs l'intéressait. Il devait être de nouveau en chasse, pour remplacer la perte de Laura.

Sur quelle adolescente avait-il fixé son choix ? Il l'enlèverait, puis exercerait son chantage. Il la garderait en vie ou le ferait croire. Il exigerait la collaboration d'Hélène pour écrire « leur » best-seller.

Elle ne pourrait rien empêcher sauf s'il commettait une erreur. Mais il était trop bien organisé pour ça.

Elle se mit à nager et bientôt les remous de l'eau fraîche et étincelante emportèrent ses pensées.

Une fois sortie, elle se sécha au soleil, se rhabilla, et reprit le chemin de l'hôtel. Le ciel brillait d'un éclat dur. Accrochés au flanc des montagnes les sapins luisaient d'un vert dense et sombre. Sur un banc, au bord de la rive, une jeune fille lisait. Hélène s'approcha. La jeune fille leva la tête et sourit.

— Qu'est-ce que vous lisez ? demanda Hélène.

— Edgar Poe.

Elle continua son chemin, s'arrêta net et retourna vers le banc. La jeune fille ferma le livre.

— Je peux vous l'emprunter quelques instants ? demanda Hélène.

— Oui, bien sûr.

Le livre venait de la médiathèque de Nantua ; un recueil de nouvelles d'Edgar Allan Poe dans la traduction de Charles Baudelaire.

Double assassinat dans la rue Morgue ; Le masque de la Mort rouge ; les Aventures d'Arthur Gordon Pym...

C'était là, si évident, qu'elle se demanda ce qui lui arrivait pour avoir mis une éternité à comprendre.

Fabienne, assise derrière son bureau, classait des fiches quand Hélène fit irruption. Elle s'affala sur une chaise et lança d'une seule traite :

— Guillaume Desmeuraux était un admirateur d'Edgar Poe. Lénore, le prénom de sa fille, il l'a trouvé dans *The Raven*, « Le Corbeau », un des poèmes les plus connus et les plus oubliés de Poe.

Sur le bureau, elle repéra une bouteille d'eau minérale et une boîte d'aspirine.

— Je peux ?

Fabienne hocha la tête.

— J'ai de nouveau mal à la tête depuis que j'ai découvert ça, dit Hélène en avalant trois comprimés.

Fabienne posa devant elle un paquet de fiches.

— Ça nous avance à quoi que Desmeuraux ait été un admirateur de Poe ?

Hélène but une longue gorgée au goulot.

— C'est ce qui l'a perdu, dit-elle en s'essuyant les lèvres du revers de la main. Le tueur aussi est un fan de Poe... Je lui ai envoyé un message tout à l'heure.

— Vous savez qui c'est, alors !

Hélène souriait d'un air absent.

— Non, mais j'en ai assez de cette course d'obstacles. Puisqu'il aime les devinettes, je lui en ai proposé une.

— Je ne comprends pas, dit Fabienne en soupirant.

— C'est simple : j'ai trouvé un moyen d'arriver jusqu'à lui.

L'idée ne semblait pas du goût de Fabienne. Elle prononça une phrase qu'elle savait inutile :

— Si je vous dis que c'est dangereux et qu'il vaut mieux que ce soit la police qui s'en occupe, vous allez me répondre...

— Non. Et voilà pourquoi. Quand j'ai compris que c'était grâce à Poe qu'il avait eu un indice pour retrouver Desmeuraux, je suis rentrée à l'hôtel et j'ai cherché s'il existait sur le Net un Cercle des amis d'Edgar Poe. Il y en a presque un dans chaque pays. En France, le site s'appelle *Le Ravenne,* comme si en quelque sorte on avait francisé le titre anglais *The Raven*.

Elle se pencha pour retenir l'attention de Fabienne.

— Je suis allée plus loin. J'ai cherché l'adresse web du créateur du site.

Elle s'éclaircit la gorge et jeta un regard par-dessus son épaule comme si elle avait senti une présence.

— Il a choisi comme pseudonyme RR, murmura-t-elle.

Fabienne la regardait comme si elle la voyait pour la première fois.

— Mon Dieu, vous me faites peur, murmura-t-elle avec un frisson.

— Je lui ai envoyé un e-mail. Si j'ai vu juste, il va me répondre.

Fabienne eut une grimace sceptique.

— Moi aussi, je me suis abritée derrière une façade, expliqua Hélène. Je suis *Eléonore*, une jeune fille de *quinze* ans, mélancolique, solitaire, à la recherche d'absolu, même au-delà de la vie.

— Vous croyez que ça suffira ?

— Je l'espère. *Eléonore*, c'est une proie avec laquelle il peut jouer. C'est drôle, mais dans l'œuvre de Poe je me suis aperçue que les femmes s'appellent, Lénore, Eleonora, Hélène...

— Il vous a peut-être choisie aussi pour ça, fit remarquer Fabienne.

— C'est possible. S'il répond, je tomberai dans son piège. Je lui donnerai davantage d'informations comme le ferait une adolescente à la recherche de correspondants... Je m'arrangerai pour stimuler son désir, dans l'espoir qu'il se découvre.

— Vous êtes sûre qu'il ne devinera pas ? demanda Fabienne soucieuse.

Hélène secoua la tête.

— Pas si je sais m'y prendre. En général l'excès porte en lui son propre échec, et ce type se prend pour un maître de l'illusion. Ce sont les plus faciles à tromper. Enfin, je suppose.

Elle aurait aimé dire à Fabienne qu'avec de la chance il foncerait sur *Eléonore* et délaisserait la proie qu'il avait choisie ; mais devant le tour inquiétant que prenaient les choses, elle craignait que Fabienne ne se décide à alerter la police.

L'assassin avait attendu quinze ans après le meurtre des Ravenne pour se sentir prêt à recommencer. Ses prochaines étapes étaient soigneusement calculées ; à la moindre alerte il retournerait dans sa tanière et il patienterait jusqu'à ce que le calme revienne. Elle était encore trop loin de lui pour risquer de l'effrayer par une manœuvre qui le pousserait à disparaître.

— Si je ne suis pas indiscrète, c'est quoi le message que vous lui avez envoyé ?

Fabienne avait récupéré les fiches qu'elle battait nerveusement. Elle se demanda si Hélène avait conscience du guêpier dans lequel elle s'était fourrée.

— *Tandis qu'assise au bord de la Rivière du Silence je contemplais les gais oiseaux aux couleurs brûlantes, le doigt de la Mort se posa sur mon sein. Je sus alors que, pareille à l'éphémère, la beauté parfaite ne m'avait été donnée que pour mourir... M'entendras-tu murmurer ton nom dans le vent du soir ? Rempliras-tu l'air que je respire du parfum de l'encensoir des anges ?* C'est d'Edgar Poe, un peu adapté, dit Hélène.

Fabienne la regardait avec surprise.

— Moi j'y répondrais, reconnut-elle.

Elles éclatèrent de rire.

— En attendant j'ai l'estomac vide et je retourne à l'hôtel manger quelque chose, dit Hélène en se levant.

— Je vous accompagne dehors. Je vais fumer une cigarette.

Elles sortirent sur le trottoir.

— On m'a promis le nom d'anciens résistants, dit Fabienne, levant son visage vers le soleil. Peut-être l'un d'eux se souviendra-t-il du Corbeau et du Renard.

Elle regardait la fumée s'évanouir dans l'air. Elle ne put s'empêcher de demander :

— Hélène, pourquoi vous acharnez-vous comme ça ?

Elle fut surprise par la réponse :

— Je ne sais pas. Je suppose que j'essaye de retrouver ce que j'ai perdu.

Hélène ouvrit la portière de sa voiture.

— A propos, reprit Fabienne, Jérôme Joffré m'a fait parvenir deux billets pour un concert ce soir, à l'abbatiale. De la musique baroque allemande, ça vous tente ?

— N'utilisez ni votre ordinateur personnel ni celui de la médiathèque pour aller sur le site « Ravenne », répondit Hélène, on ne sait jamais. D'accord pour le baroque allemand ; peut-être que lui aussi apprécie ce genre de musique.

3

Il craqua une allumette et ralluma son cigare. La pendule sur le mur indiquait sept heures du soir. Le portrait de Laura avait disparu de la première page des journaux et des écrans de télévision. Après avoir été le personnage clé de son futur, elle en était définitivement rayée. Un inconnu qui mourait d'envie de s'en « payer une tranche », avait détruit son échafaudage.

Il se rappelait le temps où il la filmait. Il adorait faire traîner l'objectif sur son cou, ses épaules, son dos, ses jambes, dont il distinguait les muscles fins, tendus par l'effort. L'idée qu'elle puisse lui échapper ne l'avait jamais effleuré. Il lui fallait tout recommencer, mais dans ce domaine il était imbattable.

Il régnait dans la pièce une chaleur suffocante. Il se leva et mit en route le ventilateur. Dans l'ensemble, la situation n'était pas catastrophique. Il prit le carnet de Laura et relut la dernière page. Ses mâchoires se serrèrent. Sylvie Martin ! C'est elle qui avait entraîné Laura ! Il ne l'aurait jamais crue capable d'une chose pareille.

Il se leva, éteignit son cigare et prit sous le tapis la clé de la cave. Il n'y avait jamais amené personne, comme s'il avait eu la prémonition de ce qu'il allait en faire.

Il ouvrit la porte et descendit une à une les marches, le dos collé au mur, se guidant dans l'obscurité car l'escalier n'avait plus de rambarde.

Une fois en bas, il tâtonna pour trouver le commutateur. La cave contenait une chaudière à bois dont il ne se servait plus, plusieurs cantines militaires empilées, et des étagères où il entreposait des outils de jardin et une tronçonneuse. Il déplaça sur le côté une épaisse bâche de couleur verte qu'il avait achetée quelques mois plus tôt dans un hypermarché à l'entrée de Lyon. Il se glissa dans l'espace entre le sol et la planche de la dernière étagère. Sa tanière se trouvait de l'autre côté. Il avait lui-même, des années auparavant, élevé la cloison qui divisait la cave.

Les fenêtres étaient murées, mise à part l'ouverture d'un conduit d'aération invisible de la rue. Les hauts murs le soustrayaient à la curiosité des voisins. Une odeur d'humidité et de moisi imprégnait l'endroit et il ouvrit le conduit. Il avait tout prévu. Un grand miroir, des provisions pour plusieurs mois dans le placard, une toilette chimique identique à celle qu'on trouvait sur les bateaux, protégée par un paravent. Dans un coin plusieurs sacs de ciment à prise rapide étaient empilés.

Il y avait une douche de camping avec son réservoir d'eau et une grande bassine en plastique jaune ; sans oublier la chaîne terminée par un anneau qu'il avait scellée au mur.

Il se déshabilla et s'allongea sur le lit de camp. Les mains croisées derrière la nuque, il songeait à ce qu'il ferait à Sylvie Martin.

Il n'avait pas la moindre intention de livrer le nom du ravisseur de Laura à la police. Il utiliserait à son seul profit les informations que Sylvie lui fournirait. Elle parlerait ; ça, il en était convaincu. Il analyserait les renseignements, puis les ferait apparaître sous un jour nouveau. Ainsi, comme pour les Ravenne, c'est lui qui dicterait à la police ses conclusions.

Il se redressa et se contempla dans le miroir. Son regard n'avait pas changé ; l'iris luisait toujours de la même manière. En s'occupant de Sylvie, ses soucis s'envoleraient. A cette perspective, il éprouva de l'allégresse.

Lorsqu'il se serait lassé d'elle, il la tuerait. Elle serait grotesque, l'abdomen éclaté, avec cette masse blanchâtre entre ses cuisses, pareille à une fleur malsaine en train de s'épanouir. Il la découperait et mettrait les morceaux dans une des cantines militaires ; il noierait le tout de ciment et enterrerait la cantine.

Il n'avait rien d'un pédophile ou d'un violeur de petites filles ; ceux-là n'étaient que des minables sans imagination. Lui serait libre de raconter ses crimes, de partager ses émotions. Il pourrait même annoncer le prénom de ses victimes et la manière dont elles seraient prises au filet. Qui ferait le lien entre ses aventures et la fiction d'une romancière comme Hélène Wang ? Qui percerait le secret de ses trappes ?

Il se tourna vers le poster géant collé au mur. Une île, avec ses plages de sable doré, ses grottes obscures, ses pierres rouges, ses déserts d'argent, ses vallées profondes aux arbres géants : c'est là qu'il partirait en vacances cet été. Ce paysage était plus stimulant que le monde extérieur dans lequel il vivait ; c'était celui de ses amours, de la vraie jouissance. Au-dehors, d'autres adolescentes aux boucles soyeuses s'agitaient, impatientes de débarquer dans son île. Il imaginait les corps fiévreux, agités, et le sien, tétanisé.

Le désir brûlait derrière ses paupières. Le désir de faire mal, le plaisir de posséder, d'entendre les gémissements de douleur et les supplications d'une chair réduite à sa merci.

Il s'ébroua pour chasser le fantasme mais celui-ci persistait. Les cris. Ces cris de filles, tendus, perçants, qui l'excitaient ; et toujours à l'arrière-plan, dans sa tête, les beuglements de la femme qui l'obsédaient, son regard d'animal mort et ses accouplements avec l'homme qui lui avait appris à se servir des ciseaux de jardinier.

Les milliers d'images du monde qu'il créait pour lui-même disparurent. Il quitta sa tanière après avoir remis en place le décor. Dehors, le ciel s'embrasait. Il songea à revoir la dernière cassette qu'il avait de Laura mais il était en retard. Juste avant de sortir, il se souvint qu'il avait oublié de consulter sa messagerie électronique.

Sur le Net chacun était libre de vider le pus de son imagination. La technologie ouvrait chaque jour de nouveaux horizons, et il décida qu'il n'aurait pas aimé vivre à une autre époque. Il regagna sa chambre à coucher et s'installa devant son ordinateur.

Plus tard, en quittant son domicile, il élaborait déjà des stratagèmes pour attirer *Eléonore* à l'intérieur de sa tanière, dans son véritable jeu.

4

— Le type en costume clair à côté de Langlois, c'est un juge d'instruction de Bourg-en-Bresse, murmura Fabienne à l'oreille d'Hélène. Il a interrogé toutes les copines de Laura cet après-midi. Il n'arrête pas de regarder autour de lui.

Dans l'abbatiale du XIIe siècle, l'orgue jouait les *Deutsche Barok Kantaten* de Dietrich Buxtehude. Des cierges clignotaient sur l'autel recouvert d'un linge fin et brodé. Une odeur d'encens flottait dans l'air, se mêlant au parfum des roses blanches disposées le long de l'allée.

L'orgue résonnait dans la nef. Hélène continuait d'observer l'assistance. Insensible à l'atmosphère médiévale du lieu, et sans s'expliquer la nature de son intuition, elle était convaincue que le meurtrier se trouvait là, sur un banc ; un spectateur anonyme au milieu des autres spectateurs. Quel masque s'était-il composé ? Son visage allait-il le trahir ?

L'assassin à coup sûr l'observait comme la plupart des habitants de la ville qui de temps à autre jetaient un rapide coup d'œil dans sa direction.

Un inconnu aux cheveux bruns qui portait une tache de naissance sur le cou s'était tourné vers elle ; un tic retroussait le côté droit de sa bouche. Le notaire avec qui elle avait dîné le soir de son arrivée, Max Maurice, était présent aussi. Très souriant dans sa veste croisée bleu marine, il retouchait constamment le nœud de sa cravate à fleurs en se tapotant le côté du crâne avec des allures de prélat ambitieux. Tout ce que le village et les environs comptaient comme notables était là, lui avait soufflé Fabienne.

Quels secrets dissimulaient ces gens sur qui pesait l'immobilité des siècles ? se demanda Hélène. Elle sentait qu'ils s'épiaient mutuellement dans un petit jeu bien rodé, et les sourires faussement amicaux dissimulaient mal des sentiments autres que fraternels.

Elle imagina qu'un demi-siècle auparavant, l'assistance aurait compté de nombreux officiers allemands en uniforme ; leurs bottes noires impeccablement cirées, leurs casquettes aux insignes de la Wehrmacht ou de la SS posées sur leurs genoux ; tous venus là pour écouter la musique d'un compatriote et changer l'avenir d'un pays de la façon la plus horrible et la plus irrémédiable.

Un châle aux couleurs vives de l'été noué autour des épaules, Toussainte Leca semblait distante et froide, comme si sa propre présence à ce concert l'ennuyait à mourir. Son regard restait fixé sur le cadran de la coûteuse montre qu'elle portait au poignet.

Jérôme Joffré, qui leur avait procuré les places, donnait l'impression d'être un grand amateur d'orgue. Le professeur de lettres, la tête inclinée, les yeux clos, s'immergeait ; de temps à autre il acquiesçait comme si les notes longues et graves éveillaient en lui des échos. Sa fine moustache rappelait la nonchalance des acteurs américains des années cinquante.

Grandet, le directeur du lycée, se trouvait sur la gauche d'Hélène, à deux bancs d'écart. Il tournait la tête sans rien regarder en particulier, avec une expression étrange, à mi-chemin entre la douleur et le sourire. Il paraissait s'interroger sur un songe qui lui aurait traversé l'esprit.

Hélène continua à passer en revue les visages qu'elle avait rencontrés jusque-là. Elle se demandait si celui qu'elle cherchait s'y trouvait. Sans grande surprise, elle découvrit la silhouette sombre du Turc, Melik Marmaris. Lui aussi l'étudiait, mais les yeux d'Hélène dissimulés derrière des lunettes noires semblaient le gêner. Il la salua puis changea de position, cherchant à se donner une contenance.

La musique résonnait sous la voûte et l'éclairage jetait sur les visages une ombre lunaire. C'est un décor unique, pensa Hélène. Une scène parfaite. Comment l'assassin apparaissait-il aux yeux du monde ? Courtois, riche, bien élevé ? Au-delà de tout reproche ? Où est-il ?

« Je suis là, Hélène. Je suis là. »

Son regard à *elle* avait glissé sur lui à plusieurs reprises. Elle n'avait pas insisté, confirmant que le doute dans son esprit ne s'était pas dissipé. Ce soir, elle lui avait paru très belle. Il en avait eu la certitude quand elle s'était approchée de lui et qu'il s'était levé. Elle avait ôté ses lunettes et il avait été surpris par la beauté de ses yeux noirs. Avec une curiosité nouvelle, il avait retrouvé son parfum.

Il la vit rejeter ses cheveux en arrière d'un mouvement de tête, et l'éclat de ses lèvres retint son attention. Il se mit à l'imaginer, prisonnière, enchaînée dans son repaire. Garderait-elle cet air supérieur, cette assurance que donnent le succès et la beauté, quand il s'occuperait d'elle ?

Il l'imagina à la lueur d'une bougie ; le ventre plat, les seins fermes, les hanches... Dans son cerveau bien dressé des signaux d'alarme se déclenchèrent. Il n'avait besoin que de son talent d'écrivain.

Elle construirait sa légende, elle le rendrait célèbre et il resterait inconnu. Le paradoxe l'amusa. Elle ferait de lui un personnage de roman. Ainsi, protégé par l'ombre, il ruissellerait de lumière. Nul avant lui ne s'était essayé à un pareil exploit.

« Mes yeux ont toute la semblance d'un démon qui rêve », écrivait Poe.

Que cette parole soit le signal de notre séparation, oiseau ou démon ! — hurlai-je en me redressant. Rentre dans la tempête, retourne au rivage de la nuit plutonienne ; ne laisse pas ici une seule plume noire comme souvenir du mensonge que ton âme a proféré ; laisse ma solitude inviolée ; quitte ce buste au-dessus de ma porte ; arrache ton bec de mon cœur et précipite ton spectre loin de ma porte !

Le corbeau dit : « Jamais plus ! »

Il resta immobile, sa pensée voletant comme un oiseau de nuit sous un ciel sans étoiles. Ombres et visages d'adolescentes...

5

Sylvie Martin marchait lentement, les pensées teintées d'inquiétude. Elle avait l'impression qu'elle devait faire quelque chose, sans savoir exactement quoi. La veille, ils avaient convoqué une quinzaine de filles dans une salle de classe du lycée, et le juge d'instruction l'avait interrogée. Elle essayait de deviner qui avait donné son nom aux gendarmes ; elle n'était pas vraiment amie avec Laura. Heureusement, les flics n'avaient l'air d'être au courant de rien. Au début, elle avait eu peur. Elle avait senti une boule grossir au creux de son estomac. Mais ils avaient posé les mêmes questions à tout le monde sans insister. Il y avait des gens partout ; des journalistes, des parents, les conseillers du ministère, et les camions des chaînes de télévision.

Sylvie avait l'habitude du mensonge et il lui avait suffi de penser à quelque chose de triste pour éclater en sanglots, comme si elle était en état de choc. Elle était parfaitement capable de se taire et sa conscience ne la tourmentait pas outre mesure. Après tout Laura était suffisamment grande pour savoir ce qu'elle faisait.

« Je croyais lui rendre service en lui donnant une bonne adresse, et elle n'était certainement pas la première à prendre de la coke et de l'ecstasy, et à coucher avec un vieux », se disait-elle. Heureusement, Laura était allée chez le type par un chemin détourné.

Laura n'était plus là et on évitait délibérément d'aborder le sujet. Sylvie y pensait seulement quand quelque chose le lui rappelait d'une façon ou d'une autre. Bien sûr, l'image de Laura abandonnée dans un dépôt d'ordures ne manquait jamais de produire un frisson ; mais elle paraissait inoffensive, cette image, devant la menace d'être privée de drogue et d'aller en prison.

Les filles étaient inquiètes mais aucune ne parlerait. Elles étaient trop futées. Elles en avaient discuté ; en un sens, c'est comme s'il ne s'était rien passé. Il n'y avait rien qu'on pût faire ; c'était un accident. Comme Jeanne Marie, condamnée à passer le reste de ses jours dans un fauteuil roulant. Ils étaient tous ivres dans la voiture, sauf elle. Ils s'en étaient tous tirés, sauf elle.

« Je suis désolé de te donner rendez-vous là-bas, baby, lui avait-il dit ce matin au téléphone, mais le moment est mal choisi pour qu'on nous voie ensemble. »

C'était bien la première fois qu'ils se retrouvaient en cachette, et dans un coin aussi désert.

La mort de Laura le plongeait dans une situation difficile, avait-il expliqué. La police s'empresserait de coller sur le dos de celui qu'elle arrêterait tous les meurtres non résolus depuis cinq ans.

Il était un peu incohérent au téléphone, et elle avait eu du mal à reconnaître sa voix ; étouffée, comme s'il avait eu peur que quelqu'un soit à l'écoute et qu'on le reconnaisse. A aucun prix elle ne devait l'appeler.

Il devient complètement parano, pensa-t-elle en pénétrant dans le bois. Plus bas, le lac étincelait au soleil et l'asphalte gris de la route jetait des millions de petits éclats. La forêt était silencieuse, muette. Sylvie montait le long du sentier, écoutant le craquement des aiguilles de pin qui se brisaient sous ses pieds.

Elle s'arrêta pour reprendre son souffle. Il lui semblait qu'elle se dirigeait vers un territoire inconnu, alors qu'elle avait pris ce chemin cent fois et par tous les temps. Elle écarta une mèche de ses yeux et reprit son ascension en traînant les pieds. La transpiration lui mouillait les cheveux et elle avait les joues rouges.

Le ciel bleu, l'air tiède, le vent inexistant : le temps idéal pour s'allonger dans l'herbe et fumer un pétard, se dit-elle.

Elle espérait qu'il en aurait sur lui. Elle avait besoin de se relaxer. Il allait l'assommer de questions sur son interrogatoire de la veille.

« Qu'est-ce qu'ils voulaient savoir, baby ?

— Pas grand-chose. Depuis combien de temps je la connaissais. Est-ce qu'elle avait un comportement bizarre ? Qui était son boy-friend ? Se droguait-elle depuis longtemps ? Est-ce que j'étais au courant d'un trafic de drogue au lycée ?

— Et qu'est-ce que tu leur as dit ?

— Que même si je la voyais tous les jours, je la connaissais à peine. Qu'elle avait l'air d'une fille assez secrète, et qu'on s'était parlé quelquefois. Pour la drogue, je n'étais pas au courant et personne ne m'en avait jamais proposé.

— Cool. Tu as eu peur ?

— Non. Je savais ce que j'allais dire.

— Ils étaient comment avec toi ?

— Gentils. Ils m'ont dit que, si je savais quelque chose je devais le leur dire pour que la mort de Laura ne soit pas inutile. Quand je me suis mise à pleurer, c'est le juge qui m'a consolée.

— Ils ont prononcé des noms ?

— Quels noms ?

— Tu sais très bien !

— Ils ne savent rien. La mère de Laura a dit à la mienne qu'ils ont fouillé sa chambre. Ils n'ont rien trouvé.

— T'en es sûre ?

— Oui, j'en suis sûre. Et j'en ai marre maintenant ! »

Le sentier débouchait dans la clairière. Sylvie s'arrêta. Il n'y avait personne. Plus haut dans le bois, un pivert frappait du bec l'écorce d'un tronc.

Elle s'assit sur une pierre et sortit un paquet de cigarettes de son pantalon kaki. Une file de fourmis noires sortait d'une fissure pour se perdre dans un ruisselet couvert de brindilles.

Sylvie terminait sa deuxième cigarette quand elle entendit les broussailles remuer. Des pas, des branches qui craquaient ; quelqu'un descendait par l'autre bout du sentier.

Elle n'était ni inquiète ni troublée. Il y eut un silence. Puis, sans qu'elle s'en aperçoive, les pas reprirent et s'arrêtèrent tout près d'elle.

Elle se retourna et leva les yeux. L'homme qui avait surgi n'était pas celui qu'elle attendait.

— Ah, c'est vous, dit-elle, masquant sa déception.

Il était si près qu'elle n'avait plus la place de se lever. Il la regardait d'un air aimable, un objet brillant entre ses mains gantées.

*

Pour la troisième fois de la matinée Jeff Morel consulta la messagerie de son téléphone mobile. Il n'y avait aucun message, ni du vieux Gorju ni d'Hélène Wang. C'était l'heure du déjeuner, mais il n'avait pas faim. Il s'était levé tard et avait tourné en rond dans son appartement. Il avait d'abord pensé à faire une lessive, puis découragé il s'était résigné à tasser ses affaires de la veille dans le sac de linge sale.

Assis sur son lit, il avait regardé son réveil. Il avait oublié de mettre l'alarme. Dormir plus qu'il n'en avait l'habitude le plongeait dans une sorte d'anesthésie.

Maintenant, il s'impatientait. Il refusait de ralentir les images de son film personnel, de les examiner une à une. Il lui fallait bouger, agir. Il se rasa, prit une douche, et s'habilla. En sortant de chez lui, il s'arrêta dans un bistro et avala un double expresso sans sucre.

La terre n'avait pas changé d'orbite. Les gens s'affairaient. Tout était pareil et le soleil de juillet ruisselait sur les carrosseries et les façades vitrées des immeubles.

Accoudé au bar, il feuilleta le journal. Rien de motivant. Le drame de Laura Masson était passé en troisième page, remplacé par les rodomontades des hommes politiques et les amours gay d'une télé-potiche.

Morel reposa son journal. Il devait avancer en attendant l'appel de Gorju. Il pesa les termes de l'alternative : surprendre Hélène Wang ou rendre visite au père Constancieux, le survivant de Buchenwald.

*

— J'ai mis l'eau à chauffer. Je n'ai que du Nescafé, dit Fabienne avec une grimace, en sortant de sa petite cuisine.

— Ça fera l'affaire, j'adore l'instantané, fit Hélène.

Elle terminait de brancher son ordinateur portable sur la ligne téléphonique. Devant elle se trouvait un recueil des œuvres complètes d'Edgar Poe.

— Le concert vous a plu ? demanda Fabienne.

— Le décor était magnifique, mais j'ai passé mon temps à espionner l'assemblée. Il y avait un type devant nous, avec une tache sur le cou. Il est parti avant la fin. Vous le connaissez ?

Fabienne hocha la tête.

— Oh, oui. Et depuis longtemps. Il travaille à la mairie.

— Il n'arrêtait pas de me regarder.

Les yeux sombres d'Hélène étaient fixés sur l'écran de l'ordinateur.

— Vous intriguez beaucoup de monde, dit Fabienne avec un sourire.

Hélène haussa les épaules.

— Je ne le fais pas exprès. Vous savez si les gendarmes ont une piste pour Laura ?

— Ça m'étonnerait. J'ai l'impression qu'ils tournent en rond. Langlois m'a demandé une liste de gens que fréquentait Laura mais j'ai fait semblant d'oublier.

— Pourquoi ?

— Oh, je ne sais pas. Vous m'avez fait peur avec vos histoires. Moi aussi, je deviens parano.

La bouilloire se mit à siffler. Fabienne prit deux tasses par leurs anses, les coinça entre ses doigts, saisit un pot de sucre et s'approcha de la porte devant laquelle elle s'immobilisa.

— Vous croyez qu'il a répondu à votre message ? demanda-t-elle.

Le sifflement de la bouilloire monta d'un cran. Fabienne s'éclipsa. Hélène l'entendit s'agiter dans la cuisine.

Il n'y avait que vingt-quatre heures qu'elle avait expédié son e-mail ; c'était un peu tôt pour espérer une réponse, mais avec lui tout était contraire au plus élémentaire bon sens.

Elle se demanda comment elle réagirait si elle s'avérait incapable de le démasquer. Elle chassa cette idée. Inutile de penser à ça. C'était un problème pour lequel elle n'avait pas de solution prête. Il lui fallait se concentrer sur le présent.

Jusqu'à cette nuit à Shanghai où elle avait rejeté la neutralité de la loi, elle n'avait jamais été qu'une victime anonyme de l'autorité établie. Elle se sentait à la fois désespérée et à l'abri, comme si elle avait coupé le lien moral qui la reliait à la société.

Fabienne réapparut, portant tasses et pots sur un plateau en métal émaillé.

— Désolée, le lait a tourné, annonça-t-elle en posant le plateau sur la table. Mais j'ai du pain d'épice tout frais. Je l'ai acheté hier soir à la boulangerie.

Elle mit la poudre dans les deux tasses et versa l'eau chaude.

— Vous l'aimez bien sucré ?

Hélène ne répondit pas. Elle fixait l'écran. Une étrange lueur brillait dans ses yeux. Fabienne posa doucement la bouilloire. Lorsqu'elle fut certaine de contrôler sa voix, elle demanda :

— Il a éventé le coup ?

Hélène eut un signe de dénégation.

— Non. Il est venu renifler, murmura-t-elle. Il doit vraiment avoir faim.

Quelque part, perdu au milieu des fibres optiques et des câbles téléphoniques, invisible et indétectable, voguait l'admirateur d'Edgar Poe. Un assassin habile qui, sous le couvert d'une obscure vengeance, était à la poursuite de trophées.

A l'écran, un décor fantastique s'affichait. Le graphisme était d'une netteté parfaite.

— C'est bizarre, remarqua Fabienne. C'est la première fois que je vois un truc pareil. Ce type n'est pas un amateur. Il est à l'autre bout de la ligne ?

— Non, dit Hélène.

Elle prit sa tasse de café, but une gorgée, et ouvrit le livre de Poe.

— Je crois qu'il s'est inspiré du décor que Poe décrit dans son poème *Eleonora*. Il a pris une photo de rivière avec une caméra digitale et il l'a retouchée sur son ordinateur pour en faire un paysage de songe.

Au fond d'une vallée, serpentait ce que Poe appelait la Rivière du Silence. Des plantes étranges, brillantes et étoilées, s'élançaient des arbres. Des fleurs d'un rouge rubis jaillissaient d'un tapis vert où les nuances étaient plus intenses ; près de la berge, un flamant déployait son plumage écarlate ; des poissons d'argent et d'or peuplaient la transparence des eaux ; un volumineux nuage s'étendait sur le paysage. Au bord de la rivière, se tenaient deux silhouettes, côte à côte.

— Elle n'est plus seule. Il se tient près d'elle, et c'est une silhouette d'homme, dit Hélène.

— Il y a un message ?

— Je ne crois pas.

Soudain l'ordinateur émit un bip sourd qui fit jaillir Hélène de sa chaise. L'écran s'obscurcit et l'image fut remplacée par une phosphorescence de vaisseau fantôme. C'était l'embrasure d'une porte.

— Je pense qu'il faut cliquer sur la porte, dit Hélène.

Une pièce obscure, quasiment vide, apparut. Devant une lanterne s'élargissait un pâle halo de lumière. Assis sur une chaise dans un coin de la pièce, un jeune homme vêtu de blanc lisait. Une voix aux intonations métalliques sortit des haut-parleurs : *J'entendais le balancement des encensoirs angéliques auprès de moi, et des effluves de parfum céleste flottaient toujours, toujours, à travers la vallée ; et aux heures de solitude, quand mon cœur battait lourdement, les vents qui baignaient mon front m'arrivaient chargés de doux soupirs ; et des murmures confus remplissaient souvent l'air de la nuit ; et, une fois — oh ! une fois seulement —, je fus éveillé de mon sommeil, semblable au sommeil de la mort, par des lèvres immatérielles appuyées sur les miennes.*

La Rivière du Silence s'afficha de nouveau. Deux phrases s'inscrivaient en lettres rouges :

« Le vide de mon cœur ne se trouve pas comblé. Comme toi, comme elle, je souhaite ardemment l'amour, *Eléonore.* »

— C'est très sophistiqué et très romantique, chuchota Fabienne, comme si à l'autre bout de la ligne quelqu'un pouvait l'entendre. Si j'avais quinze ans, je tomberais dans le panneau.

Hélène repoussa sa chaise et se leva. Elle prit une tranche de pain d'épice et alla s'asseoir sur le rebord de la fenêtre.

— Comment analyse-t-on les émotions d'une ado ? A la moindre erreur, il coupera définitivement l'échange, non ? suggéra Fabienne.

Hélène mordit dans le pain d'épice. Elle se mit à mastiquer pensivement avant de répondre :

— Je ne suis pas sûre qu'il soit submergé de messages de ce genre, mais il devait se tenir prêt. Lui et moi sommes des personnages imaginaires, qui communiquons au travers d'écrits fantastiques. J'ai donné le ton ; c'est moi qui suis allée vers lui. Ce jeu sous-entend pour lui un épisode sexuel, sinon il ne jouerait pas. A moi de l'exciter davantage.

Elle retourna se couper une autre tranche de pain d'épice.

— Ce sont des framboises, à l'intérieur ?

— Des fraises des bois.

Fabienne avait sorti une cigarette d'un paquet. Elle craqua une allumette.

— Nous n'allons pas lui répondre tout de suite, dit Hélène. Laissons-le mariner. Il ira peut-être plus loin la prochaine fois.

Elle termina sa tranche et but le reste de son café.

— Il faut que j'arrive à susciter sa convoitise pour qu'il me fixe un rendez-vous, reprit-elle ; et nous n'avons pas beaucoup de temps.

Elle se tourna vers Fabienne.

— Je vais lui dire que j'habite Lyon.

— Lyon ? Il aura des soupçons.

— Je ne suis pas censée savoir qu'il vit dans la région.

— C'est trop gros, Hélène.

— Vous avez une meilleure idée ?

Fabienne se mordait la lèvre.

— On peut essayer une petite ville proche de la frontière. En Suisse.

Hélène sourit.

— Pas mal. Bon, on ne va pas rester à se torturer en se demandant s'il gobera l'appât. On verra bien. Vous avez pu obtenir le nom d'anciens déportés ?

Fabienne alla jusqu'à un secrétaire. Elle ouvrit un tiroir et en sortit un carnet.

— Tout ce que j'ai, c'est un prêtre, le père Constancieux. Il a été envoyé à Buchenwald à l'époque qui nous intéresse. Je sais où il habite. C'est à une dizaine de kilomètres de Nantua.

Dehors, des voiles ondulaient sur l'aigue-marine du lac. Les ombres des peupliers jouaient sur les tuiles ocre des toits.

— Allons manger quelque chose. Nous irons voir ce prêtre après, proposa Hélène en éteignant son ordinateur.

*

Après être resté coincé dans un mini embouteillage provoqué par une collision entre deux taxis, Jeff Morel avait pris l'autoroute en direction de Nantua. Malgré son désir de revoir Hélène Wang et son déhanchement subtil, il avait fini par opter pour une visite au père Constancieux.

Il arrêta sa voiture devant une grille rongée par la rouille. De l'autre côté, près d'un petit bois, se dressait un bâtiment de ferme à moitié en ruine. Le père Constancieux vivait là, lui avait-on finalement indiqué après qu'il eut tourné pendant plus d'une heure dans le coin.

Il coupa le contact et ne descendit pas immédiatement. Il débloqua sa ceinture de sécurité, s'étira, et s'accorda une cigarette. L'avant-dernière étape avant de mettre la main sur le fameux journal de Mariette, se dit-il.

Il était prêt. Tout en restant vague sur la nature de ses projets, et grâce à Tisserand, il avait noué des contacts à la brigade criminelle de Lyon. Après son premier article, le parquet ouvrirait une enquête sur la mort de la famille Desmeuraux ; il lui faudrait alors conserver son avance sur ses confrères.

Il jeta sa cigarette, mit des piles neuves dans son magnétophone et relut ses notes.

— *Le père Constancieux, comme Guillaume Desmeuraux, est un rescapé de Buchenwald.*

— *Tous deux venaient de Nantua, et tous deux étaient partis de Bourg-en-Bresse ; peut-être dans le même train.*

— *Desmeuraux a-t-il été mêlé à un événement particulier qui se serait produit durant son séjour au camp ?*

— *Sa conduite là-bas était-elle de nature à lui attirer la haine d'un individu ou d'un groupe particulier ?*

— *A son retour en France, Desmeuraux a changé de nom pour fuir une menace... laquelle ?*

Morel descendit de voiture. Il aurait probablement l'occasion de revenir ici. Il n'espérait pas voir les portes du paradis s'ouvrir au premier coup de sonnette.

6

Sylvie Martin ne savait plus où elle se trouvait. Quand elle avait vu ce que l'homme tenait à la main, elle s'était mise à crier. Il l'avait giflée et elle s'était jetée sur lui en essayant de lui donner des coups de pied. Il était bien plus fort, et il l'avait frappée à la gorge pour l'empêcher de respirer. Il l'avait plaquée au sol et ligotée avec des colliers en plastique, et bâillonnée avant de lui passer une cagoule sur la tête.

Il l'avait abandonnée dans la forêt. Elle entendait toujours le pivert frapper du bec le tronc des arbres. L'espoir lui était venu. Il avait pris peur, il s'était enfui. Mais elle avait compris qu'il ne pouvait pas s'être trouvé dans cette clairière par hasard. C'était impossible ! Elle était tombée dans un piège !

*

Morel emprunta le chemin parsemé de cailloux et de feuilles mortes. Le jardin, à l'image de la bâtisse, trahissait l'abandon. Des massifs hirsutes bordaient un mur de pierres au pied duquel des détritus végétaux pourrissaient. Une vigne aux feuilles tachées rampait sur la façade principale de la maison. Plus loin, des bouleaux dressaient leurs troncs comme une poignée de crayons. Il flottait un vague relent de purin.

Il s'arrêta devant une porte massive faite de planches épaisses. Il n'y avait pas de sonnette. Il frappa du poing sur le battant. Rien ne paraissait bouger. Il insista. Soudain, il entendit quelqu'un s'agiter derrière la porte. Un bébé se mit à pleurer. Une voix de femme cria :

— Un instant, j'arrive.

Il entendit tourner un verrou. Debout dans l'encadrement, une femme en tablier apparut. Elle portait dans ses bras un nouveau-né ; une petite fille s'agrippait au pan de sa jupe. Elle regarda par-dessus l'épaule de Morel comme si elle s'attendait à voir quelqu'un derrière lui.

— Bonjour, dit Morel en souriant. Je cherche le père Constancieux. On m'a dit qu'il habitait ici.

— Qui c'est le monsieur, maman ?

La femme jeta un coup d'œil à la fillette.

— Je m'appelle Jean-François Morel, intervint doucement Jeff. Je suis journaliste au *Progrès* de Lyon.

La femme recula d'un pas.

— Entrez, monsieur.

La maison sentait la laine humide et les couches. Morel suivit la femme dans la cuisine. La fillette avait lâché la jupe de sa mère et s'était assise sur une petite chaise à bascule, le pouce dans la bouche. Le carrelage de la cuisine était crasseux, plein de taches de nourriture et de liquide. Un film graisseux recouvrait les murs.

— Vous venez voir le père ? demanda-t-elle.

— C'est ça, dit Morel.

— Il n'a plus beaucoup de visites, le pauvre. Il ne va pas très bien. Le docteur est venu hier. Il a dit qu'il faudrait peut-être le mettre à l'hôpital.

— Il est malade ? s'enquit Morel.

— Oh, il est seulement vieux. A cet âge... la moindre chose...

— Je sais, dit Morel. Vous pensez que je pourrais quand même le voir ?

— Bien sûr. Je vais vous montrer sa chambre. Je dois aller au premier pour changer la petite.

Morel la suivit dans un escalier obscur. A la cuisine, la fillette s'était mise à pleurer.

— Ça suffit, Justine ! cria la femme.

Dans le couloir de l'étage le calme revint. La femme rejeta les épaules en arrière et soupira. Elle indiqua à Morel une porte ouverte.

— C'est là. Ne faites pas attention à ce qu'il raconte, il n'a plus toute sa tête, le pauvre.

Le journaliste sentit son moral dégringoler. Il remercia et s'avança vers la porte.

La pièce sentait l'eau de Cologne bon marché. Assis sur un fauteuil, le visage cendreux, le crâne couvert d'un béret, le père Constancieux portait une robe de chambre de laine sur un pyjama de flanelle.

Morel s'approcha et prononça son nom. Le vieillard resta la tête appuyée contre le dossier. Il regardait par la fenêtre.

— Ah, c'est vous, dit-il sans bouger.

Il avait du mal à articuler et parlait les lèvres serrées. Le journaliste tira une chaise et s'assit.

— Je m'appelle Morel, mon père. Je suis journaliste au *Progrès* de Lyon.

Il lui fallait changer de tactique. Plus question d'écouter le père Constancieux dans un monologue du genre « je me souviens ». Il devait enchaîner une série de questions appelant oui ou non comme réponse. Il posa son magnétophone sur l'accoudoir du fauteuil. Inutile de perdre mon temps en salamalecs, se dit-il. S'il est gâteux je n'ai plus qu'à m'en aller.

— Buchenwald. Est-ce que ce nom vous rappelle quelque chose ?

Morel avait pris soin de bien articuler. Le père ne regardait plus par la fenêtre, mais vers le plancher. Jeff se pencha et posa sa main sur l'épaule du vieillard.

— Dites-moi si vous vous en souvenez ?

Le vieux hocha la tête.

— C'était quoi, Buchenwald, mon père ?

Il fixait le journaliste. Ses yeux rougis larmoyaient.

— Le camp, souffla le vieillard.

Un premier pas, pensa Jeff.

— C'est ça. Vous vous rappelez dans quel pays se trouvait ce camp ?

Le vieux gardait les mains posées sur ses genoux.

— L'Allemagne.

Morel sentit un frisson d'excitation. Le vieux fut pris d'une quinte de toux. Il sortit un mouchoir de la poche de sa robe de chambre et cracha dedans.

— Desmeuraux, attaqua Morel. Guillaume Desmeuraux était avec vous à Buchenwald. Vous vous souvenez de lui ?

Le vieillard eut une sorte de hoquet et fit signe à Morel de se rapprocher. Le journaliste s'agita sur sa chaise. Il ne s'était peut-être pas déplacé pour rien, après tout.

— Vous vous rappelez Desmeuraux, mon père ?

A cet instant, l'univers de Morel se ramassait à ces quelques mètres carrés, cette chambre aux murs grisâtres où la brume impénétrable du temps allait se dissiper.

— Oui, je me souviens. Le Corbeau, murmura le vieux.

Morel prit une profonde inspiration. Peut-être avait-il mal articulé.

— Non, pas le Corbeau. Des-meu-raux ! Guillaume Des-meu-raux !

Le père Constancieux secoua la tête

— Faites un effort, mon père. C'est important.

Le vieillard battit des paupières.

— Il s'est sauvé avec l'autre, dit-il d'une voix étouffée.

— Quel autre, mon père ?

— Le Renard.

Les yeux de Morel se posèrent sur son magnétophone. Il l'arrêta et le remit dans sa poche. Il comprenait qu'il venait d'échouer. Inutile de continuer à pressurer le vieillard. Il voulut se lever. Le père Constancieux lui prit la main ; il la serrait comme s'il cherchait à le retenir.

— Le Corbeau, c'est lui qui...

— Oui, le Corbeau. Je comprends. Reposez-vous, maintenant.

« Il n'a plus beaucoup de visites. Il n'a pas toute sa tête », avait dit la femme.

Morel desserra doucement la prise. Il crut lire de la surprise dans les yeux du vieil homme. Il repoussa sa chaise, se leva et se dirigea vers la porte.

— Je reviendrai, dit-il.

Il quitta les lieux après avoir laissé sa carte de visite à la femme.

— En cas de besoin.

Il ne retourna pas immédiatement à sa voiture. Il s'accouda au mur de pierres pour réfléchir. Il n'avait pas jugé nécessaire de parler de Mariette au père Constancieux. Le vieillard mélangeait tout ; il était retombé en enfance. Par acquit de conscience, le journaliste vérifia sa boîte vocale. Aucun message de Gorju.

« Avec ça, je ne suis pas dans la merde ! » jura-t-il.

Il s'absorba dans la contemplation d'un potager abandonné. Un chien traversa en courant un pré jauni. Morel siffla. Le chien s'arrêta, redressa la tête. Morel siffla de nouveau. Le chien reprit sa course, une oreille en l'air.

Le journaliste haussa les épaules, alluma une cigarette et marcha jusqu'à la grille. Il se sentait accablé par le bilan négatif de sa visite.

*

Hélène arrêta la voiture au début de la piste.

— Vous êtes sûre que c'est par là ? demanda-t-elle.

— Oui, répondit Fabienne. Une veuve qui fait le ménage à la paroisse l'a pris chez elle. Elle vit dans une ferme plus ou moins abandonnée avec ses deux gosses.

— On aurait dû acheter quelque chose aux enfants, non ?

— On partagera les chocolats. Ne vous en faites pas.

Hélène s'engagea sur la piste. Un paysan, la casquette rejetée sur le front, brûlait des herbes dans un champ.

Soudain, une voiture surgit. Elle roulait vite, soulevant un nuage de poussière. Hélène braqua et se rangea sur l'accotement.

La voiture les croisa sans ralentir. Fabienne, qui s'était retournée, lança :

— Vous avez vu qui c'était ?

— Non.

— Jean-François Morel, le journaliste du *Progrès.* Il est venu à l'hôtel vous interviewer.

— Il est malade de rouler à cette vitesse, fit Hélène.

— Je me demande ce qu'il fabrique par ici.

Quelques minutes plus tard, la femme qui hébergeait le père Constancieux leur ouvrit la porte.

— Mon Dieu, dit-elle, c'est vraiment son jour de visite.

— Morel sortait d'ici ? demanda Fabienne.

— Le journaliste ? Oh, il n'est pas resté longtemps. Le père est un peu fatigué.

— On peut quand même le voir ? demanda Hélène.

— Oui, bien sûr.

*

Morel freina brutalement. La piste ne menait qu'à la ferme. C'était bien le père Constancieux qu'Hélène Wang et Fabienne Thomas-Blanchet allaient rencontrer.

La Chinoise en serait pour ses frais. A y regarder de près, Jeff ne voyait rien qu'Hélène puisse obtenir du vieillard ; pas la moindre chance que la lumière se fasse dans le cerveau du prêtre.

« Elle doit suivre le même fil que moi », pensa-t-il.

Un signal d'alarme clignota dans sa tête. Morel croyait aux signes du destin. C'était le moment idéal pour aller aux nouvelles et savoir quelle source d'ennuis la romancière représentait.

Il fit demi-tour et s'engagea de nouveau sur la piste.

*

Fabienne était restée dans la cuisine pour tenir compagnie à la femme. Face au père Constancieux, Hélène se demandait comment aborder le sujet qui l'intéressait. Le vieillard paraissait mal en point et son regard était noyé de brume.

Elle posa sur les genoux du prêtre la boîte de chocolats qu'elle avait achetée et retira le couvercle.

— C'est pour vous, dit-elle.

Les yeux du père Constancieux se posèrent sur elle puis sur les chocolats. Il en prit un, le mit dans sa bouche et se mit à mâcher avec lenteur. Une odeur de sucre imprégna l'atmosphère. Lorsqu'il eut terminé, Hélène demanda :

— Ils sont bons ?

Le vieil homme hocha la tête.

— Mon père, dit-elle, je cherche des renseignements sur deux hommes que vous avez peut-être connus pendant la guerre. Ils se faisaient appeler le Corbeau et le Renard, comme dans la fable. Je pense qu'ils étaient dans la Résistance. Ça vous dit quelque chose ?

Le prêtre claqua la langue avec contentement. Il y eut un court silence, et le vieillard s'anima comme s'il avait attendu ce moment.

— La Gestapo et les soldats allemands, ils avaient des « têtes de mort » sur leurs casquettes. Ils nous ont mis face au mur. Ils cherchaient les *Terroristen* ; c'est comme ça qu'ils disaient... Un officier a crié qu'il savait pour le Corbeau et le Renard ; deux élèves du collège...

Le père Constancieux s'arrêta, puis reprit :

— ... Je me rappelle le camp « Charles » ; des jeunes volontaires pour le maquis. Le Corbeau... il était tout près. Personne ne le regardait. Les Allemands nous menaçaient. Après, ils nous ont amenés à la gare. On est passés devant l'église. C'était midi. J'ai vu le Renard. On l'avait arrêté lui aussi.

Le vieillard poussa un soupir. Il indiqua d'un signe de tête une bouteille d'eau et un verre posés sur la table de nuit. Quand Hélène se leva, il la suivit des yeux. Il but lentement la moitié du verre.

— *« Raus ! Raus ! Schnell ! Schnell ! »* qu'ils criaient, pour nous faire sortir plus vite des wagons.

Il serra convulsivement les poings.

— Ces boches ! Une femme a dit qu'on allait repartir pour un long voyage. Le Corbeau et le Renard sont venus près de moi et nous avons prié. La délégation nous a donné du pain et des sardines.

— Vous étiez à Bourg-en-Bresse ? intervint Hélène.

— On est repartis la nuit dans un train, pour le camp.

— Le Corbeau et le Renard, mon père, vous vous souvenez de leurs vrais noms ?

Le vieil homme eut un sourire malheureux.

— C'est difficile.

— Claude Mayeux, ça pourrait être l'un d'eux ?

Le prêtre fit un effort pendant quelques secondes.

— Je suis sûre que vous allez y arriver, l'encouragea Hélène.

— Lui, c'était le Renard, dit le père Constancieux en relevant la tête avec satisfaction.

— C'est exact. C'est bien lui, mon père. Et le Corbeau ?

Le vieux prit un chocolat dans la boîte.

— Le jeune homme m'a dit son nom tout à l'heure.

Il se racla la gorge et cracha dans son mouchoir. Il regarda Hélène avec une expression de panique.

— Desmeuraux ? souffla-t-il.

— Vous voyez que vous vous souvenez de tout. Vous m'offrez un chocolat ?

Le vieux sourit d'un air d'excuse et hocha la tête. Quand ils eurent terminé de mastiquer, Hélène demanda :

— Que s'est-il passé ensuite ? Le Corbeau et le Renard, on les a mis avec vous dans le wagon pour le camp ?

— Le Corbeau disait qu'on les avait dénoncés et qu'il savait qui c'était. Je voulais les empêcher de sauter ; il y avait des femmes, des enfants, et on pensait aux représailles. Ils ont sauté. Moi, je suis resté, pour les autres.

Hélène demeura un moment songeuse.

— Alors, ils n'ont jamais été à Buchenwald ?

— Hein ?

— Le Corbeau et le Renard ne vous ont jamais rejoints à Buchenwald ?

— Puisque je vous dis qu'ils ont sauté !

Il la regardait avec une expression de reproche. Elle lui sourit. Ce qu'elle avait appris suffisait. Le père Constancieux était dans l'incapacité de fournir des renseignements sur des faits qu'il ignorait.

Elle remplit le verre et le posa à portée de main du père Constancieux.

— Je vous remercie, dit-elle.

Le vieillard avait sombré dans l'apathie. Des larmes coulaient sur ses joues. Il semblait épuisé.

Hélène sortit de la chambre. Elle s'arrêta sur le palier, en proie à l'émotion. Elle n'était pas venue pour pousser le vieil homme dans ses retranchements.

Elle descendit. Des éclats de voix lui parvinrent. Quand elle pénétra dans la cuisine, Fabienne était assise sur un tabouret et le journaliste du *Progrès*, Morel, se tenait en face d'elle. Il avait des cheveux couleur pain brûlé, fins et emmêlés, et essuyait ses lunettes au pan de sa chemise.

— Hélène, dit Fabienne, vous vous souvenez de Jean-François Morel ?

Morel avait remis ses lunettes.

— Jeff, dit-il. Je préfère Jeff.

Une demi-heure plus tôt, il était dans la chambre du père Constancieux cherchant à ranimer ses souvenirs, pensa Hélène.

— J'ai dit à Jeff que nous étions passées pour apporter des chocolats aux enfants, lança Fabienne.

Hélène eut un sourire.

— Jeff, dit-elle, si vous voulez que nous parlions de Guillaume Desmeuraux, allons à mon hôtel.

7

Quand Hélène sortit de la douche, la blancheur du peignoir et ses cheveux noirs plaqués en arrière accentuaient la pâleur de son visage. Morel vit pour la première fois son regard ; un regard intense, impénétrable.

— Il a plusieurs longueurs d'avance, dit-elle en entrouvrant la fenêtre. Il est prévoyant et habile. Tout ce que nous ne sommes pas.

Dehors, les ombres s'allongeaient. Elle s'adossa au mur. Le journaliste et Fabienne étaient installés sur le lit.

Ils venaient de partager leurs informations, et Morel se demandait si Hélène avait dit tout ce qu'elle savait. Lui ne s'était pas confié totalement ; il gardait un atout, son seul atout d'ailleurs : Henri Gorju.

Pour l'instant, la romancière refusait d'aborder le sujet qui intéressait Morel ; à savoir ce qu'elle comptait faire de l'histoire *après* sa conclusion. Elle affirmait avoir été forcée d'entrer dans le jeu du tueur parce qu'*il* en avait décidé ainsi. Elle s'en tenait là.

— Vous n'avez aucun soupçon ? demanda Morel.

Hélène secoua la tête.

— Nous ne pouvons pas attendre qu'il se montre, et je ne crois pas que nous ayons beaucoup de temps devant nous.

— Qu'est-ce qui vous fait penser ça ? dit Morel.

— Laura lui a échappé. Il ne va pas rester sur sa déception.

— Je continue à penser que nous devrions prévenir la police, fit remarquer Fabienne.

Hélène s'était assise sur la moquette. Morel se tourna vers elle.

— Qu'est-ce que vous en dites ?

Elle resserra les pans de son peignoir.

— Je ne sais pas. Nous sommes loin de lui, fit-elle remarquer à mi-voix. En fait, nous n'avons que des suppositions à offrir à la police, et elle risque de mettre plusieurs semaines à vérifier ce qu'on lui dira.

— C'est vrai. Nous sommes même incapables de fournir un motif pour le « meurtre » des Ravenne, constata Fabienne.

Morel prit le temps de réfléchir.

— Peut-être que ceux qu'on a expédiés dans les camps se sont vengés. D'après ce que vous a dit le curé, c'est à cause du Corbeau que les Allemands ont procédé à une rafle ; les autres, ceux qui sont restés dans le train, devaient l'avoir mauvaise. C'est peut-être un motif.

Le journaliste regarda Hélène, Fabienne, puis de nouveau Hélène.

— Les Allemands ont fusillé des milliers d'otages à cause de la Résistance et les familles n'ont pas cherché à se venger sur les résistants, dit Hélène. Je vous rappelle qu'ils étaient deux, Desmeuraux *et* Mayeux ; les deux ont été dénoncés.

Morel passa une main dans ses cheveux et laissa échapper un soupir. Elle abordait un aspect qu'il ne voulait pas prendre en considération. Pour lui l'affaire commençait et finissait avec le meurtre des Ravenne.

— C'est vachement tordu, dit-il.

Fabienne étouffa un bâillement.

— Excusez-moi, je suis crevée... Hélène, si on lui envoyait une photo de moi pour l'appâter ?

— Le genre suggestif, dit Morel.

Fabienne pointa vers le journaliste un doigt accusateur.

— Ben voyons ! Pour qu'on m'accuse de harcèlement sexuel !

Ils rirent tous les trois pour décharger leur tension. Hélène parut peser sérieusement la suggestion.

— Il ne nous donnera pas une seconde chance si nous nous trompons dans le message, dit-elle. Nous devons rester dans l'esprit de Poe et dans celui d'une adolescente romantique, rêveuse, incomprise... qui cherche l'âme sœur.

— C'est vachement cliché, remarqua Fabienne.

— Quand on a quinze ans ce genre de chose paraît exceptionnel.

Fabienne se leva.

— En attendant, je vais chez moi prendre une douche.

Elle regarda sa montre, puis s'adressa à Hélène :

— Donnez-moi une heure. On se retrouve à la maison. D'ici là, chacun réfléchit.

— Je vous accompagne, dit Morel.

Hélène s'était mise debout.

— Vous avez l'air fatiguée, fit Morel. Vous préférez qu'on remette ça à demain ?

— Pas question ! répliqua-t-elle vivement.

Le ton surprit le journaliste. Il fit quelques pas dans la pièce.

— Vous êtes sûre de m'avoir tout dit à propos de ce type ?

Il marqua un temps d'arrêt.

— Excusez-moi, dit Hélène. J'oublie parfois que les autres ignorent ce qu'il est capable de faire.

Morel demeura un moment sans rien dire. Il ne semblait pas convaincu.

— Allons-y, murmura-t-il.

A cet instant, le téléphone mobile de Fabienne sonna. Elle prit l'appel.

— Oui, c'est moi, répondit-elle.

— ...

— Je ne l'ai pas vue aujourd'hui... Non, la médiathèque est fermée.

— ...

— Non, je ne l'ai pas vue, répéta-t-elle d'une voix mal assurée. Je comprends, madame Martin... oui, bien sûr... Je vais me renseigner et je vous rappelle.

Fabienne coupa la communication. Elle se tourna vers Hélène et Morel. Ses lèvres remuaient sans bruit. Au bout d'un moment, elle chuchota :

— Mon Dieu !

— Qu'est-ce qu'il y a ?

— Sylvie Martin. Sa mère est sans nouvelles d'elle depuis ce matin.

— C'est la petite qui était avec Marmaris au Ranch ? demanda Hélène.

Fabienne hocha la tête. Elle clignait les paupières comme si elle cherchait à refouler ses larmes. Morel regardait les deux femmes.

— Qui est ce... Tamaris...

— Marmaris, rectifia Hélène, le visage grave. C'est un sculpteur. Fabienne et moi l'avons croisé dans un restaurant avec cette fille, Sylvie Martin, une élève de terminale.

Fabienne fouillait dans son sac. Elle en sortit un carnet d'adresses dont elle feuilleta fébrilement les pages. Elle s'y reprit à deux fois avant de composer correctement le numéro.

— J'appelle Melik, dit-elle. J'espère que Sylvie est chez lui.

Morel, l'air soucieux, avait enfoncé ses poings dans les poches arrière de son jean.

— Ça sonne mais personne n'a l'air de décrocher, murmura Fabienne. J'essaye son portable.

Son visage s'était crispé.

— Ça ne répond pas !

— Filez chez lui et téléphonez-moi de là-bas, dit Hélène.

*

Fabienne et Morel partis, Hélène ouvrit en grand la fenêtre pour aérer la chambre. En face d'elle, le lac baignait dans la quiétude du crépuscule. D'un geste familier, elle rejeta en arrière une mèche qui tombait sur son front.

Elle avait le pressentiment que la disparition de Sylvie Martin n'était pas une fausse alerte. Elle ne croyait pas aux coïncidences ; il existait un lien entre la mort de Laura et la disparition de Sylvie. Même si c'était une affaire tordue, comme l'avait souligné Morel, le tueur, lui, suivait une logique propre. Il n'était pas question d'élaborer des scénarios à l'eau de rose pour se réconforter, mais plutôt d'évaluer les motifs qui l'auraient poussé à choisir Sylvie comme victime.

Quels étaient les traits communs à Lénore, Laura, et Sylvie ? se demandait Hélène. Les deux premières, hormis le fait qu'elles étaient les filles du Corbeau et du Renard, avaient une innocence, une fraîcheur, que Sylvie Martin, à la voir évoluer, n'avait plus. Elle avait dix-sept ans et fréquentait des gens plus âgés ; le genre de fille — *une petite pute*, avait dit Fabienne — qui n'avait plus grand-chose à apprendre des hommes. L'image était différente. Si l'assassin avait enlevé Sylvie, ce n'était pas pour satisfaire le *même* plaisir qu'il avait eu avec Lénore et qu'il attendait de Laura. C'était des filles avec qui il pouvait passer pour ce qu'il n'était pas. Le blocage qui l'empêchait d'avoir des rapports normaux avec une femme le poussait vers des filles très jeunes. Il les dominait, s'éblouissant de sa propre puissance ; peut-être même croyait-il leur donner du plaisir. C'était la beauté et l'innocence qui déclenchaient sa violence. Sylvie, pour lui, n'était que de la chair frelatée.

Moi aussi, songeait Hélène, il aurait pu me violer et me tuer le soir où il est venu dans ma chambre. Il ne l'a pas fait. D'accord, il a besoin de moi, mais d'un autre côté il est incapable de résister à sa pulsion. Donc, je ne l'intéresse pas. S'il a enlevé Sylvie, c'est qu'il a choisi de prendre un risque supplémentaire en dépit de la tension provoquée par la mort de Laura. Le risque est contrebalancé par sa motivation : soit le besoin de satisfaire son fantasme ; soit la nécessité de punir ceux qui se mettent en travers de sa route. Sylvie n'entre pas dans la première catégorie.

Hélène tournait en rond dans la pièce ; elle plissait le front sous l'effet de la concentration.

« Pourquoi cette précipitation ? Pourquoi ce choix ? Quelle logique suit-il ? Une vengeance soigneusement préparée et exécutée ? Se venger de qui ? La vengeance n'est plus dans son répertoire ; le Renard en personne et son ex-femme, la mère de Laura, n'offrent aucun intérêt pour lui.

Laura ? Et si la petite Martin savait quelque chose concernant la mort de Laura ? Elle s'arrêta brusquement. « J'ai raison, pensa-t-elle. Il ne se remet pas de la mort de Laura. Il est déstabilisé, je me souviens de l'avoir dit à Fabienne. Il a dû fantasmer sur cette gosse jusqu'à la folie. S'il a enlevé Sylvie, c'est pour une raison précise ; il est convaincu qu'elle a été témoin de la mort de Laura, quoi qu'elle ait pu raconter à la police. Mais si Sylvie n'a rien dit à la police, qui cherche-t-elle à couvrir ? Melik Marmaris ? »

Hélène s'allongea sur le lit. La fatigue finit par s'emparer de sa vigilance et il n'y eut plus qu'un bleu éclatant, rassurant. Elle se sentait l'esprit vide et brillant comme la surface du lac vers le fond duquel elle glissa.

*

La pénombre descendait dans la vallée, noyant peu à peu les sapins dans une masse obscure et uniforme.

— Ce... Marmaris, vous le connaissez bien ? demanda Morel.

Fabienne haussa les épaules.

— C'est votre ex-petit ami ?

— On peut dire ça comme ça.

Le journaliste se tourna vers elle.

— Vous en avez un nouveau ?

— Non. Et je n'en cherche pas. Au feu rouge, tournez à droite, s'il vous plaît.

— Il est si difficile que ça à remplacer, ce monsieur ?

Fabienne n'avait aucune envie de s'enliser sur ce terrain. Morel lui plaisait mais les circonstances ne s'y prêtaient pas.

— Vous croyez vraiment que c'est le moment !

Le journaliste avait perçu le tremblement dans la voix de Fabienne.

— Détendez-vous ! Il n'y a pas de raison de s'alarmer. On va la retrouver, votre Sylvie. Vous n'allez pas sombrer vous aussi dans le plan parano d'Hélène Wang !

Ils longeaient une rue paisible et déserte.

— Qu'est-ce que vous voulez dire ?

— Écoutez, je suis le premier convaincu que les Ravenne ont été assassinés et qu'il s'agit d'une vengeance qui remonte à la guerre. Mais pour moi l'affaire s'arrête là. Point barre ! Toutes ces élucubrations à propos de Laura, d'un assassin qui ne veut plus se venger et qui attend je ne sais pas quoi... C'est du délire !

— Vous êtes furieux parce qu'elle ne fait pas attention à vous.

— Comment ça ?

— Il n'y a qu'à voir la manière dont vous la regardez.

— Tous les mecs la regardent de la même façon, non ?

— Tous les mecs, je ne sais pas. Donc, vous ne croyez pas ce qu'elle vous a raconté. Le coup de téléphone dans le train ; la confession déposée à la médiathèque à son intention ; la visite dans sa chambre au Brochet bleu, sans oublier la femme de l'inspecteur Buzinski..., Laura... et maintenant Sylvie...

Le journaliste secoua la tête.

— Non, mais attendez !

— Tournez autour du rond-point et prenez le sens interdit.

— Ne vous énervez pas ! Je vous ai dit ce que je pensais. Votre amie Hélène est romancière ; elle est tombée sur un meurtre impuni et elle s'est laissé emporter par son imagination. Elle bâtit un roman dans lequel elle est l'héroïne. Hé ! Ne me jetez pas ce regard ! Pourquoi refuse-t-elle qu'on prévienne la police, hein ? Ça ne vous met pas la puce à l'oreille, ça ?

— Je pense que vous êtes un bon journaliste, Jeff Morel, et un bon journaliste exerce un bon jugement. En ce moment, le vôtre me paraît tordu. Garez-vous sur le trottoir !

8

Il était de retour. Combien d'heures après, Sylvie n'en savait rien. Il lui avait détaché les chevilles et l'avait forcée à se mettre debout. Il l'avait entraînée, sa main serrant son coude comme un étau. Ils avaient marché. Les aiguilles de pin craquaient sous leurs pas. Ils redescendaient vers la route.

Il l'avait couchée sur la banquette arrière d'une voiture. Il faisait nuit ; elle l'avait entendu jurer après un automobiliste qui l'aveuglait de ses phares.

A présent, elle gisait sur une paillasse, la cheville droite prise dans un anneau, les mains liées. Quand elle bougeait la jambe, un bruit de chaîne se faisait entendre. Il lui avait retiré le bâillon mais pas la cagoule. Il l'avait déshabillée, la touchant de manière répugnante. Affolée, elle avait appelé au secours, mais, quand elle s'était aperçue que ses cris le rendaient plus brutal, plus furieux encore, elle s'était tue. Il poussait des soupirs rauques et rapides, comme un asthmatique.

Glacée, elle demeurait dans un silence humide. Le froid suintait des murs.

« Je ne veux pas mourir. Je ne veux pas mourir, répétait-elle. Je suis trop faible pour me défendre. Je ferai ce qu'il voudra. Que va-t-il m'arriver ? Oh, mon Dieu, ne me laissez pas mourir. »

Elle l'entendait. Elle le sentait approcher. Elle replia ses jambes contre sa poitrine. Il devait avoir perdu les pédales pour faire une chose pareille ; lui, si gentil avec elle. Peut-être pourrait-elle l'amadouer, lui faire entendre raison.

« Je l'entends respirer. Il ne faut pas que je hurle ou que j'essaye de m'enfuir. Maman ! Je ne veux pas le voir ! »

Il venait de retirer la cagoule. Elle refusait d'ouvrir les yeux. Il s'était penché sur elle et lui avait détaché les mains.

— Ouvre les yeux ! avait-il ordonné.

Il parlait sans violence. Elle s'était décidée à le regarder. Il lui tendait une serviette mouillée. Elle s'essuya le visage.

— Si tu fais ce que je te dis, je ne te ferai pas de mal. Inutile d'appeler au secours, personne ne t'entendra. D'ailleurs, il n'y a personne.

Elle s'était couvert le corps et le visage avec la serviette. Elle ne voulait pas qu'il la voie nue. Dans d'autres circonstances elle s'en serait moquée ; mais là, sa nudité lui donnait l'impression d'être davantage à sa merci.

— Voilà mes conditions, dit-il. Je veux savoir à qui tu as présenté Laura. Je veux aussi que tu écrives un mot à ta mère. Je te dicterai le texte. Quand le moment sera venu, tu pourras t'en aller.

Elle s'était mise à pleurer. Il arracha la serviette d'un geste brusque.

— Tu ne comptes pas pour moi, fit-il.

Elle cessa de pleurer.

— Si vous me laissez partir, je jure de ne pas vous dénoncer, dit-elle.

Il la gifla.

— Si tu ne fais pas ce que je te dis, je te découpe en morceaux. A toi de choisir !

Il tenait à la main un couteau. Un couteau de chasse, avec une lame crantée. Il le lui avait déjà montré, dans le bois.

— Alors ? dit-il. Tu te décides ou je t'ouvre le ventre ?

Sa voix avait changé. Elle était violente, avec une inflexion incontrôlée.

Le réduit n'était éclairé que par une lampe accrochée au plafond. Sylvie ne pouvait plus bouger ni détourner ses yeux de la lame. Son cœur avait doublé de volume ; sa langue et ses lèvres s'engluaient. La lame descendait droit sur elle.

— Non, fit-elle. Non !

La lame était sur sa joue. Elle poussa un gémissement.

— Je vous en supplie, ne me faites pas de mal, s'il vous plaît.

— Si tu m'aides, je ne te ferai pas de mal. Tu diras la vérité ?

Elle avala sa salive et hocha la tête.

— Je vais te poser quelques questions.

Il avait du mal à réprimer sa haine. C'est à cause de cette fille qu'il avait perdu Laura.

— Allonge-toi, dit-il.

Il avait envie de lui enfoncer la lame dans le ventre mais il ne pouvait pas le faire, pas encore. Ce n'était pas un simple témoin innocent ; elle était complice de la mort de Laura. Les renseignements qu'elle allait lui fournir, il devait les vérifier.

Il s'assit près d'elle sur le bord de la paillasse et posa la lame sur son ventre. Elle n'osait ni crier, ni sangloter, ni geindre, de peur qu'il ne la poignarde au moindre soupir. Il la piqua avec la pointe du couteau et la gifla de l'autre main.

— A qui as-tu présenté Laura ?

Il répéta sa question et pesa sur la lame. Sur le ventre de Sylvie, une goutte de sang apparut. Il se pencha sur elle et approcha son visage près du sien. Il la haïssait pour tout ce qu'elle lui avait fait.

— Espèce de petite putain ! Je t'écoute !

Elle se mit à parler. Une élocution hachée ; chaque mot lui demandait un effort supplémentaire. Il sentit un étrange émoi lui serrer le ventre. Une odeur animale emplissait ses narines. Il ne savait plus l'analyser. C'était la première fois, depuis très longtemps. Il fouilla dans ses souvenirs. Il comprit que sa difficulté à retrouver cette mémoire tenait à son origine ; elle était intimement mêlée à son désir, c'était l'odeur de la peur. La vue de ce corps gracile, de ces jambes minces, de ces petits seins ronds et pleins, le laissait froid. Pourtant, il ne pouvait pas ignorer le trésor qui s'offrait à lui.

9

— La voiture de Melik est garée dans l'allée, expliquait Fabienne. J'ai sonné à plusieurs reprises mais personne ne répond. Qu'est-ce qu'on fait ?

— Une seconde, dit Hélène.

Elle posa l'appareil sur le lit et se massa les tempes. Les suppositions se bousculaient dans son esprit. Si Sylvie est entre les pattes de Marmaris, il faut avertir les gendarmes, pensait-elle ; mais si le Turc est innocent, nous devons gagner du temps, détourner le meurtrier de la gamine si elle est encore en vie.

Elle reprit son téléphone portable.

— Appelez la gendarmerie de Bourg-en-Bresse et dites-lui que vous avez reçu un appel de la mère de Sylvie. Parlez-leur de Marmaris et de la petite. Qu'ils se débrouillent pour entrer chez lui. Qu'ils fouillent sa maison. Qu'ils vérifient si Marmaris n'a pas une autre résidence. Tâchez d'être persuasive, il vaut mieux une fausse alerte qu'un cadavre. Filez ensuite chez la mère de Laura et dites-lui de vous confier des photos de sa fille, des photos récentes. Pas de diapos. Des tirages sur papier. Vous pensez que c'est possible ?

— Oui. Je téléphone au commandant tout de suite.

— Morel peut vous accompagner chez la mère de Laura ?

Il y eut un silence à l'autre bout de la ligne, puis la voix de Fabienne se fit à nouveau entendre :

— Il n'a pas le choix.

— Je vous attendrai devant chez vous. Et... pas un mot sur tout le reste ! Faites la leçon à Morel.

L'assassin n'était pas loin. Tandis qu'elle s'habillait, Hélène se demanda si elle arriverait à le faire sortir de sa tanière. En quittant sa chambre d'hôtel, elle jeta un regard dans le couloir comme si elle craignait de voir surgir quelqu'un. Elle ne savait toujours pas ce qu'elle ferait quand ils se retrouveraient face à face.

*

Il s'était assis dans son vieux fauteuil pour prendre quelques minutes de détente. Il possédait l'information qu'il désirait, à condition que Sylvie n'ait pas menti. Elle avait répondu à ses questions comme il s'y attendait. Il n'y avait pas là matière à une enquête approfondie.

Il se leva et se versa un cognac qu'il dégusta à petites gorgées. Le temps change les êtres, pensa-t-il. Il était si différent aujourd'hui, libéré de cette vengeance que son mentor, l'homme qui les avait élevés sa sœur et lui, lui avait plantée dans le crâne à coups de trique ; il ne pensait qu'à lui à présent, qu'à ses désirs et aux moyens de les satisfaire.

Il se sentait bien. Ce soir, il se mettrait en chasse. Un vol silencieux, pareil à celui d'un rapace de nuit. Sur la table, se trouvait la lettre que Sylvie avait écrite à sa mère ; la lettre qu'il lui avait dictée. Demain, il irait la poster. La lettre rassurerait la mère et désamorcerait une enquête des gendarmes. Après tout, une fille de dix-sept ans libre comme Sylvie pouvait bien s'accorder un voyage à la mer après la mort tragique d'une camarade de lycée ; la déprime, le besoin de se changer les idées...

La lettre lui procurerait quelques jours de tranquillité. Il aurait le temps de s'amuser avec Sylvie. Il trouverait une remplaçante à Laura et négocierait son contrat avec Hélène Wang.

La remplaçante de Laura ! Comment la choisirait-il ? Ce ne serait pas une fille de la région, en tout cas. Ça, c'était un risque qu'il ne devait plus prendre. Il s'imagina sous le coup d'un vrai désir, épanoui comme une plante carnivore.

La brillante trouvaille qu'il avait eue : « Le Cercle des amis d'Edgar Poe ! » La perspective de piéger sa prochaine victime sur le Net était excitante. Plein d'espoir il s'installa devant son ordinateur pour vérifier si *Eléonore* lui avait répondu. Il n'avait aucun message !

Sa bonne humeur s'effaça. Il était contrarié par cette mauvaise surprise.

Peut-être l'avait-il mise sur la défensive ? Peut-être n'avait-elle pas consulté sa boîte aux lettres ? Son message lui était-il parvenu ?

A l'écran, les chiffres lumineux de la montre lui rappelèrent qu'il avait du pain sur la planche. Ce soir, quelqu'un allait mourir. Ce soir, quelqu'un ne briserait plus jamais le cœur d'une mère. Cette pensée lui rendit sa bonne humeur.

10

Après avoir remis à Hélène une boîte à chaussures remplie de photos de Laura, Fabienne était repartie avec Morel.

— Le commandant Berthier a promis de m'appeler dès qu'il aurait du nouveau, avait-elle dit. Je vous laisse les photos. Avec Jeff nous allons vérifier si Sylvie ne traîne pas dans l'un des endroits où les jeunes ont l'habitude de se retrouver.

En examinant les photos de Laura, Hélène s'aperçut qu'elle était en fait submergée par la culpabilité ; pourtant, ce sentiment n'avait pas sa place dans la partie qu'elle jouait. Laura n'était pas sa priorité ; Sylvie était sa priorité.

Le tueur pouvait-il la mener jusqu'à elle ? Elle avait l'intuition que Sylvie était encore vivante. Elle en était *à peu près* sûre. Mais pour combien de temps ?

Ses tempes battaient lourdement et une douleur familière lui serrait la poitrine au fur et à mesure que le temps passait. Quelle photo choisir ? Il y en avait tellement.

*

Ils venaient de quitter le Ranch. Ni Sylvie ni Marmaris ne s'étaient montrés. Ils retournaient vers Nantua, à plus de cent cinquante à l'heure. Morel regardait droit devant lui. Après avoir allumé une cigarette, il demanda :

— Vous faites une de ces gueules. Ma présence vous pose un problème ?

— La vitesse me rend nerveuse.

Morel leva le pied de l'accélérateur.

— Qu'est-ce qu'on fait ? Vous avez un autre endroit en vue ?

Fabienne réfléchit :

— On peut essayer Toussainte Leca. Sylvie était dans sa classe. Elle sait peut-être quelque chose.

Ils effectuèrent le reste du trajet sans parler. Fabienne commençait à éprouver une véritable inquiétude, persuadée qu'il était arrivé quelque chose à Sylvie.

— L'appartement est là, dit-elle, indiquant une résidence de standing.

Ils entrèrent dans le hall. Toussainte Leca habitait au second.

— J'espère qu'elle est chez elle, fit Fabienne dans l'ascenseur. Je n'ai pas vu sa voiture en bas.

— Joli petit immeuble, remarqua Morel. Ça a l'air de méga-rapporter, l'enseignement. Pas étonnant qu'on soit pressurés d'impôts !

Toussainte ouvrit au premier coup de sonnette. Elle portait un pantalon noir et un haut blanc sans manches. Ses yeux trahissaient son irritation d'être dérangée.

— Je vous présente Jeff Morel, dit Fabienne. Il est journaliste au *Progrès.* Nous aimerions vous parler. C'est au sujet de Sylvie Martin.

Les yeux de Toussainte s'assombrirent.

— Je ne sais pas ce que je pourrais vous dire. Enfin... entrez.

Elle recula pour les laisser passer. Tandis qu'elle les conduisait au salon, Morel examina les lieux. L'appartement le surprit par son luxe ; lithos, tapis de haute laine, tableaux, canapés profonds ; des couleurs vives, vraies, et des meubles qui n'avaient pas l'air de sortir de chez Ikea. Malgré la saison, un feu de résineux brûlait dans la cheminée. Le journaliste passa en revue la collection de livres dans la bibliothèque ; romans de la période classique, auteurs modernes, ouvrages de critiques littéraires en français et en anglais.

L'un d'eux était posé sur le rebord ; c'était le roman d'Hélène Wang. Ce détail le fit sourire.

— Asseyez-vous, disait Toussainte. Je vous offre quelque chose à boire ?

Ils déclinèrent. Fabienne s'assit dans l'un des canapés. Morel préféra un fauteuil face aux baies vitrées.

— Si vous permettez, dit Toussainte, je vais me servir un scotch.

Elle quitta la pièce.

— Super-appart, chuchota Morel. C'est différent de ce qu'on s'attend à trouver chez un prof du secondaire. Elle a une fortune perso ?

Fabienne haussa les épaules.

— Pas mal d'amants, à ce qu'on dit.

Toussainte était de retour, un seau de glaçons à la main. Elle se dirigea vers un meuble, ouvrit le battant et en sortit une carafe aux trois quarts pleine. Elle leur tournait le dos pour confectionner son verre. Morel eut l'impression qu'elle cherchait à gagner du temps, réfléchissant à d'éventuelles réponses.

— Vous connaissez bien la petite Martin ? demanda-t-il.

Toussainte se retourna. Morel mit en route son magnétophone.

— Arrêtez ça ! Si c'est pour une interview, j'aimerais d'abord en connaître le thème.

Le journaliste s'exécuta.

— Sylvie Martin a disparu. Nous essayons de savoir où elle a bien pu passer, expliqua Fabienne.

Toussainte s'approcha de la cheminée. Elle jeta une bûchette dans l'âtre avant de leur faire face, but une gorgée de son verre et réfréna un frisson.

— Depuis combien de temps a-t-elle disparu ? demanda-t-elle.

Fabienne jeta un regard à Morel et prit la parole la première :

— Depuis ce matin.

Toussainte eut l'air surpris.

— Pour Sylvie, je ne crois pas qu'on puisse parler de disparition — elle consulta sa montre — au bout de quelques heures. C'est une fille plutôt indépendante.

Elle but une autre gorgée de son verre et regarda Fabienne.

— Vous avez essayé Melik Marmaris ? Je les ai vus plusieurs fois ensemble. Ils avaient l'air très amoureux.

L'allusion parut toucher Fabienne au vif.

— Les gendarmes sont chez lui, madame Leca, intervint Morel. On pense que la disparition de Sylvie est liée à la mort de Laura Masson.

Il avait lancé ça histoire de voir comment elle réagirait. Il l'avait étudiée attentivement, la Toussainte ; l'appart, la montre Bulgari, les bagues, les boucles d'oreilles : ses amants étaient plutôt du genre prodigue.

Toussainte serrait son verre de façon anormale ; ses jointures blanchissaient.

— Je ne vois pas le rapport avec Laura, assura-t-elle sur un ton qui ramena Morel sur les bancs du lycée. Je viens de vous dire qu'une fille comme Sylvie Martin...

— Oui ? dit Morel.

Elle haussa les épaules. La suite était inutile, semblait-elle dire.

— Vous n'avez aucune idée de l'endroit où elle peut se trouver ? demanda Fabienne. Vous la connaissez mieux que moi, c'est l'une de vos élèves.

Toussainte termina son verre. Elle le posa sur le rebord de la cheminée d'une main qui tremblait.

— Je suis obligée de vous demander de partir, dit-elle, désignant l'entrée. J'attends des invités.

Fabienne se leva, mais Morel lui fit signe de se rasseoir.

— Vous ne faites aucun rapprochement entre Laura et Sylvie ?

— Aucun. Et vous me faites perdre mon temps avec vos questions stupides.

Le sang monta au visage de Morel. Il s'estimait bon juge ; cette femme dissimulait quelque chose, elle était trop agressive. Elle commençait aussi à lui prendre la tête avec ses grands airs et sa manière de les foutre dehors.

— Les gendarmes sont persuadés qu'il existe un rapport, lança-t-il.

Toussainte ne tint pas compte de la remarque. Morel se dit qu'il n'avait pas frappé là où ça faisait mal.

— Vous vivez dans le luxe, madame Leca, reprit-il. C'est avec votre salaire de prof que vous vous payez tout ça ?

— Pauvre con ! répliqua Toussainte.

Morel encaissa. Il soupira et se leva. La mine impassible, il examina soigneusement la pièce.

— Mes lecteurs apprécieront de découvrir le décor dans lequel vous vivez. Les impôts aussi, d'ailleurs.

Toussainte fit deux pas dans sa direction comme si elle s'apprêtait à le gifler.

— Vous êtes un minable... comme tous les pisse-copie de votre genre ! Sortez de chez moi ! Vous aussi ! cria-t-elle, se tournant vers Fabienne.

— Vous êtes trop nerveuse pour n'avoir rien à cacher, madame Leca. Les pisse-copie ont un certain pouvoir, et vous ne serez pas la première dont la vie aura été foutue en l'air par le papier d'un minable.

Un frémissement courut sur le visage de Toussainte. Elle baissa la tête.

— Écoutez, Toussainte, dit Fabienne. A supposer que...

Morel d'un geste de la main lui fit signe de se taire. Il avait appris ces derniers temps que parfois le silence était plus efficace que les questions.

Pourquoi Toussainte Leca craignait-elle qu'un rapprochement soit fait entre Laura Masson, Sylvie Martin et... elle ?

*

Hélène s'efforçait de prendre une décision quant à la photo de Laura qu'elle enverrait sur le Net à destination de RR, le fondateur du Ravenne, le « Cercle des amis d'Edgar Poe » en France.

Elle avait choisi trois photos et, utilisant le scanner de Fabienne branché sur son ordinateur portable, elle les avait retouchées grâce à un logiciel, créant ainsi l'illusion qu'il aurait pu s'agir d'un double, d'un fantôme, d'un sosie de la jeune fille.

Il lui restait à faire un choix. Quelle photo exciterait le destinataire sans éveiller sa méfiance ? Elle devait prendre garde ; tout serait joué sans possibilité de retour. L'appât qu'elle s'apprêtait à envoyer avait un double but : détourner l'assassin de Sylvie et l'obliger à sortir de sa tanière. « Réussirai-je à l'exciter au point qu'il en oublie toute précaution » ? se disait-elle. Elle avait conscience de l'incertitude du résultat.

*

Les secondes passaient. Morel attendait.

— D'autres menaces ? demanda Toussainte au journaliste en lissant le pli de son pantalon.

Elle pensait être sortie vainqueur de leur petit affrontement.

— Pas pour l'instant, dit Morel.

Il eut un signe de tête en direction de Fabienne. Toussainte les raccompagna jusqu'à la porte d'entrée. Une intuition traversa l'esprit de Fabienne. Le train de vie de Toussainte ne reposait pas sur la générosité de ses amants ; pourquoi se serait-elle emballée si c'était le cas ? Pourquoi refusait-elle de parler de Sylvie alors que les circonstances étaient dramatiques ? D'un côté Laura, Sylvie, deux adolescentes paumées ; de l'autre des hommes mûrs, très riches... et au milieu ?

« Voilà que je me mets à penser comme Hélène », songea Fabienne.

Ce fut pour tester cette possibilité qu'elle posa à Toussainte une dernière question.

*

La lune était un mince croissant. Il avait longé le lac à la lisière de la forêt. Au-dessus de lui, accrochée au flanc de la montagne, au milieu des sapins, la maison se dressait. Il distinguait l'îlot de lumière dans les eaux profondes de la nuit. Elle constituait l'observatoire parfait pour épier les jeunes baigneuses dans le lac.

Il commença à grimper. Il était en forme ; il l'avait toujours été. Sa respiration était réduite à un souffle. Obéissant à son instinct, il progressait par bonds, s'arrêtant pour repérer un possible danger. De lourdes branches l'effleuraient parfois comme si quelque chose ou quelqu'un cherchait à le retenir. Il ne subissait pas les effets de son imagination ; de plus en plus de choses d'ailleurs le laissaient de marbre. Il devenait insensible aux banales émotions.

Son état de conscience autorisait la peur, car la peur était un mécanisme indispensable à son acharnement ; peur de ne pas trouver une remplaçante à Laura ; peur que, plus haut, la maison ne soit vide...

Il était au pied du surplomb. Il étudia les environs avant de se décider à le franchir. Il longea le mur de soutènement jusqu'à ce que sa hauteur soit suffisamment réduite pour qu'il l'escalade.

Dans le parc, une allée conduisait à l'arrière de la maison. Il avait l'intention de se diriger vers l'entrée secondaire, mais il changea d'itinéraire. Il obliqua vers la façade, passant devant une rangée de massifs impeccablement taillés. Une musique lointaine s'échappait des baies vitrées. Ses mâchoires se serrèrent. Il transpirait sous sa cagoule de ski. Le dos courbé, il s'approcha de la terrasse. Il vérifia ses semelles : elles ne portaient aucune trace de terre. Le sol était sec. Une fois encore, les éléments extérieurs s'organisaient pour le favoriser. Il ne laisserait aucune marque.

Il s'avança. Les voilages pendaient, immobiles. Il n'y avait pas un souffle, pas un bruit, hormis la musique qui se diluait dans les profondeurs de la nuit.

Le moment approchait. Il s'accorda quelques secondes pour jouir de sa situation. Il pensa à toutes les années de renoncement que son mentor lui avait infligées ; à ces plaisirs auxquels il n'avait pas eu droit, longtemps après sa puberté. Ces privations avaient accumulé en lui une fantastique pression. Il avait mis longtemps pour s'affranchir de la Promesse et s'adonner enfin à ses passions, sans crainte d'être puni. Il possédait la ferveur d'un évangéliste ; un évangéliste dont le message ne s'adressait pas au monde extérieur, mais à la chose au fond de son cerveau.

Conformément à ce qu'il avait décidé, il allait procéder avec celui-là comme il l'avait fait avec le Corbeau. Un autre crime ajouterait au climat de tension ; la suspicion n'était pas bonne pour ses affaires. Tout ça n'était pas dicté par son plan initial mais par les circonstances ; nul ne pouvait se mettre en travers de sa route et s'en sortir. Sa propre sœur, à demi folle, en avait fait l'expérience. Il ne lui voulait aucun mal, mais elle s'était mêlée de son histoire ; elle avait menacé de le dénoncer. Elle voulait l'empêcher de tuer le Corbeau, après qu'il avait mis tant d'années à percer son secret. Pourtant, à sa manière, il tenait à sa sœur. Mais elle était morte et son corps s'était décomposé dans les Glacières du Roi. Elle venait là quand elle était plus jeune ; l'endroit lui plaisait... Il entendait le son de sa voix dans sa tête... Il effaça le souvenir de sa mémoire et se pencha pour jeter un regard dans la pièce.

*

Une photo retouchée de Laura voguait sur le Net vers le maître du « Cercle des amis d'Edgar Poe », le mystérieux RR.

« Poe version cyberspace. Dans l'état actuel des choses, c'est tout ce que je peux faire », murmura Hélène.

La photo suscitait l'illusion. En premier examen, on croyait reconnaître Laura ; de plus près, on devinait qu'il ne s'agissait que d'une ressemblance : même allure, même cheveux, même port de tête. Le tueur serait-il dupe ? Hélène l'espérait. S'il cherchait désespérément à remplacer Laura, *Eléonore*, sa correspondante, avec sa silhouette familière, ne pouvait que déclencher sa pulsion. Il n'aurait de cesse que de brûler les étapes pour qu'elle lui appartienne le plus vite possible. Il savait s'y prendre. Une chose était certaine : il ne perdrait pas son temps à répondre s'il devinait le piège.

Elle rangea les photos de Laura, et alla ensuite dans la cuisine mettre de l'eau à chauffer. La nuit risquait d'être longue et une tasse de café serait la bienvenue.

Elle s'installa sur le divan. Dehors, en un lourd rideau, les sapins dressaient leurs silhouettes. Il ne lui restait plus qu'à attendre qu'il se décide à jouer.

*

— Vous avez une curieuse façon de vous préoccuper de la disparition d'une de vos protégées, Toussainte. Je comprendrais mieux si vous aviez servi d'intermédiaire...

Le visage de Toussainte avait viré à l'écarlate. La couleur de son teint jurait avec l'élégant roux doré de ses cheveux.

— ... C'est ce que vous faites, hein ? Vous servez d'intermédiaire entre les gamines et vos copains pourris de fric ? continua Fabienne avec le plus grand naturel.

— Connasse ! répliqua Toussainte, dont les doigts s'étaient crispés sur la poignée de la porte. Malheureusement, je ne peux rien faire pour vous. Mes copains n'aiment pas les boudins !

Fabienne se passa la langue sur les lèvres, en chat qui vient d'acculer une souris.

— Ils préfèrent les filles comme Laura et Sylvie ?

— Ça suffit ! hurla Toussainte.

Morel n'attendait que ça. Il sortit son carnet et se mit à feuilleter les pages comme s'il cherchait à accentuer le côté dramatique de la situation.

— C'est le genre d'information qu'attendent les gendarmes, dit-il. Et la drogue, madame Leca, parlez-moi de la drogue dans l'établissement où vous enseignez ? C'est vous qui la fournissez aux élèves ? Les flics et mes lecteurs vont certainement apprécier.

Toussainte secoua la tête d'un air dégoûté.

— Qu'est-ce que vous me voulez à la fin ?

— Mais rien. Nous cherchons à en savoir plus sur Sylvie Martin... et sur Laura.

— Je vous ai déjà dit...

— Vous ne nous avez rien dit ! coupa Fabienne.

— Si vous croyez que je suis pour quelque chose dans la mort de cette petite conne...

— A qui avez-vous présenté Laura et Sylvie ? demanda Morel.

— Je vous ferai virer de votre journal de merde !

— Un innocent n'a rien à craindre ni de la police ni de la presse, madame Leca.

— Quand il est vraiment innocent, ajouta Fabienne, quand il n'a rien à cacher ; quand il peut justifier d'un train de vie incompatible avec un salaire de petit prof de merde !

Elle regardait le sac Valentino posé sur la console. Sur le front de Toussainte la sueur collait plusieurs mèches de ses cheveux.

— Vous serez éclaboussée et je pense que ce n'est pas ce que vous souhaitez, reprit Morel en diplomate.

Toussainte avait ouvert la porte d'entrée. Elle semblait hésiter.

— Mon nom ne sera pas prononcé ?

— Non, dit Morel. Comme journaliste je vous garantis l'anonymat. Si vous savez quelque chose, dites-le-nous. Je vous en prie ! La vie de la petite Martin est peut-être en jeu.

Toussainte s'était tournée vers Fabienne.

— Et vous ? Vous la fermerez ?

Fabienne hocha la tête.

— Je n'ai rien à voir avec la mort de Laura Masson, ni avec quoi que ce soit qui la concerne. Quand je dis rien, c'est rien. Pour Sylvie, c'est vrai qu'elle m'a demandé de lui présenter mes amis. Elle préfère les hommes plus âgés ; elle aime sortir dans les beaux endroits. Il n'y a rien de mal à ça. J'ai refusé, puis devant son insistance je lui ai présenté un ami à moi à qui elle plaisait beaucoup.

— Qui en particulier ?

Morel avait rangé son carnet. Il prit Fabienne par le bras et l'entraîna sur le palier. Il laissa son pied dans l'entrebâillement de la porte au cas où Toussainte changerait d'avis.

— Il s'agit de...

Le journaliste se pencha vers Toussainte.

— Pouvez-vous répéter s'il vous plaît ?

*

L'oreille aux aguets, il attendit d'être convaincu que personne ne se trouvait dans la pièce, puis il écarta le voilage et se glissa à l'intérieur.

Il se trouvait dans le salon. Le tapis étouffait ses pas. La musique provenait d'une chaîne hi-fi qui clignotait comme les feux d'un avion cargo. Une lampe basse était allumée, projetant des recoins d'ombre là où il fallait. Sans hésiter il se dirigea vers un placard près de l'entrée. Sylvie lui avait décrit l'agencement des pièces. L'expérience le ramenait de nombreuses années en arrière, quand il avait pénétré au domicile de Desmeuraux-Ravenne, le Corbeau.

Maintenant aussi, il venait pour se venger. Cette vengeance-là était personnelle, et il fallait qu'il l'exécute le plus rapidement possible pour l'empêcher de devenir un handicap.

Il esquissa un pas de danse et ouvrit les portes de la penderie. L'observatoire parfait. Il s'installa au milieu des cintres sur lesquels étaient accrochés des vêtements de pluie. Le couteau était glissé dans un fourreau accroché à sa hanche gauche.

Contre un mur, il apercevait le secrétaire en marqueterie : nacre et ébène. La drogue se trouvait là, lui avait confié Sylvie ; dans un tiroir à mécanisme. De sa main gantée il releva sa cagoule et essuya la sueur qui lui piquait les yeux.

Il entendait des pas. Des pas décontractés, les pas d'un homme qui se sentait à l'abri, en sécurité dans le monde luxueux qu'il s'était construit.

Une silhouette pénétra dans le salon. L'homme était en robe de chambre légère, les pieds chaussés de mules en cuir. Il tenait à la main une flûte de champagne. Il s'avança jusqu'à la baie ouverte qui dominait le lac.

Cet homme était entré sur son territoire et avait dérobé une chose qui lui appartenait. Un grondement monta de sa gorge ; la fureur obscurcit sa vue. C'est ici qu'il avait abusé de Laura, dans cette pièce, sur ces divans. Le moment était venu de lui montrer que le cauchemar pouvait surgir d'un recoin de ténèbres. Dégageant la lame de son fourreau, il sortit de la penderie.

11

— Je n'aurais jamais pensé que vous seriez capable de l'asticoter comme ça, dit Morel.

— Moi ? Je n'ai rien fait.

Le journaliste rétrograda en troisième pour négocier un virage.

— Putain ! C'est à ça que conduit l'enseignement au XXIe siècle ! Trouver des michetons aux filles de la classe qui ont le feu au cul !

— Je ne crois pas qu'elle dirige un réseau de prostitution, répondit Fabienne. Je suis persuadée qu'elle ne se rend même pas compte de ce qu'elle fait. Quelle conne !

Elle composait un numéro sur son portable.

— Je préviens Hélène. On passe la prendre avant de faire notre petite visite.

Morel tiqua.

— Pourquoi ? Nous ne pouvons pas y aller sans elle ?

— C'est le scoop dont rêvent tous les journalistes qui vous fait dire ça ? Vous voulez être seul dans la course ?

Morel haussa les épaules, comme s'il regrettait d'avoir été pris en faute.

— Elle se moque pas mal de tout ça, Jeff. Elle a simplement un compte à régler.

— Pas avec moi, j'espère !

— Vous n'avez pas encore compris, même après avoir lu son livre ?

— A dire vrai, avoua Morel d'un ton d'excuse, je ne l'ai pas lu.

Fabienne lui adressa une grimace. Elle discuta un moment avec Hélène, puis raccrocha et se tourna vers Morel.

— Elle a envoyé son message au « Cercle des amis d'Edgar Poe ». Elle préfère nous attendre chez moi au cas où il répondrait. Vous voyez bien que vous devenez parano, vous aussi !

— C'est une maladie contagieuse. Bon, on file chez ce type. Vous savez où il habite ?

— Il faut prendre la route du col. Longez le lac, je vous indiquerai.

Tout en conduisant, Morel réfléchissait à la situation. « Après tout, se disait-il, il se peut que Fabienne ait raison au sujet d'Hélène ; ce qu'elle nous a dit quant aux raisons qui l'ont poussée à s'intéresser à l'affaire sonne peut-être juste. Restons vigilants jusqu'à ce que j'aie une bonne raison de lui foutre la paix. »

Cela étant, Gorju ne l'avait toujours pas appelé, et de fil en aiguille il se retrouvait sur une autre affaire. Moins juteuse que la première, mais juteuse tout de même. Pas de quoi faire un bouquin, peut-être trois ou quatre bons articles.

« Toussainte Leca, la Heidi Fleiss* de l'Éducation nationale. » Des lycéennes en chaleur, de la came, des nez poudrés, de vieux messieurs « politiquement corrects » ; vice, fric, et petites meufs ; rien de nouveau, mais un sujet toujours susceptible de scandaliser. Il se souvint qu'il avait promis à Toussainte de ne pas révéler son nom.

Il cherchait un nouveau titre à son article quand le portable de Fabienne sonna. C'était le commandant de gendarmerie Berthier. Morel se gara sur le bas-côté. Au fur et à mesure que Fabienne écoutait ce que Berthier lui disait, l'expression de son visage changeait.

Lorsqu'elle se décida à raccrocher, Jeff demanda :

— Du nouveau ?

Elle fit oui de la tête.

* Célèbre « Madame » de Hollywood.

— Sylvie ?

Fabienne s'éclaircit la gorge :

— Ils vont émettre un mandat d'arrêt concernant Melik.

— Qu'est-ce qui se passe ?

— Sa cave est remplie d'objets d'art volés.

— Merde ! On n'est pas sortis de l'auberge ! Et Sylvie ?

— Elle n'est pas chez lui.

Ils restèrent silencieux. Morel alluma une cigarette.

— Ne vous culpabilisez pas pour Marmaris, reprit-il en rejetant un épais nuage de fumée. Après tout, ce genre de truc vous pend au nez quand vous commencez à déconner.

Fabienne alluma le plafonnier. Elle avait ouvert son carnet d'adresses sur ses genoux.

— Vous appelez qui ? demanda Morel.

— Melik. Je vais essayer son portable. Je n'ai pas envie qu'il aille en prison à cause de moi.

— Arrêtez !

Morel lui avait saisi la main.

— Les flics vont prendre le relevé de ses appels. Ils verront que vous avez cherché à le joindre *après* que Berthier vous a mis au courant !

D'autorité, Morel referma le carnet et le remit dans le sac. Fabienne luttait pour dissimuler le choc que lui causait la nouvelle ; elle n'arrivait pas à croire que quelqu'un d'aussi intelligent que le Turc ait pu se mettre dans un pétrin pareil.

— Il n'y a rien qu'on puisse faire pour lui. Occupons-nous de Sylvie.

Morel redémarra.

— C'est pour ça qu'il ne voulait pas que je voie sa cave, murmura Fabienne.

— Pardon ?

— Rien. Prenez à droite, la route qui monte.

Morel écrasa sa cigarette dans le cendrier aux trois quarts rempli.

— En politique, on appelle ça la théorie des dominos merdeux, dit-il. Il suffit d'une seule petite merde, et d'un coup, sans qu'on comprenne pourquoi, un tas d'autres merdes, celles-là beaucoup plus grosses, vous pleuvent sur le crâne.

— Je peux avoir une cigarette ?

— Servez-vous.

Morel lui tendit son paquet.

— Je suis content que vous soyez là, dit Fabienne.

Le journaliste se sentit le cœur plus léger, même si elle n'avait prononcé ces mots que parce qu'elle se sentait momentanément déstabilisée.

12

Incapable de rentrer chez lui, Melik Marmaris battit en retraite s'efforçant de ne pas attirer l'attention des gendarmes en faction. Deux véhicules de la gendarmerie bloquaient la rue et, visiblement, c'est chez lui qu'ils perquisitionnaient.

Quelqu'un l'avait donné ! Il songea immédiatement à son associé. Ce ne pouvait être que lui ! Ce con s'était fait prendre à cause de la gamine et il avait tout balancé ! Au bout de deux cents mètres, se jugeant en sécurité, Marmaris se mit à courir.

Il venait de franchir la frontière invisible entre une réalité agréable et un monde différent, bien plus hostile ; sa seule chance à présent était de foncer jusqu'à la frontière et de passer en Suisse. Là, grâce à ses contacts dans le milieu turc, il ferait le chemin en sens inverse, vers la Turquie, vers son village où il serait à l'abri. Sa voiture était restée dans l'allée ; il pouvait se risquer jusqu'à la bretelle de l'A40 et faire du stop, mais l'idée lui déplut. Il serait arrêté dès qu'il montrerait le bout de son nez.

Il ouvrit son portefeuille. A part ses cartes de crédit, qu'il n'était pas question d'utiliser, il avait cent quarante euros en liquide. Pas une fortune, mais assez pour gagner la frontière. Son compte au Crédit suisse lui permettrait de voir venir la prochaine décade ; il n'avait pas de soucis à se faire de ce côté-là.

Il se demanda si son portable était sur écoute. Il avait lu que la police pouvait vous repérer à dix mètres près grâce à un nouveau satellite. Pas question de s'en servir pour appeler Sylvie qui ne s'était pas montrée de la journée. Ni d'utiliser une cabine. Il fallait être fou pour s'exposer aux regards. C'était du passé tout ça. Le coin allait grouiller de flics. Il devait fuir la lumière et rester dans l'obscurité. Il avait une heure d'avance ; au plus deux. Il devait en profiter. Mais comment ! Voler une voiture ? Cela n'entrait pas dans le cadre de sa spécialité.

Il se dissimula derrière un bouquet d'arbres le temps de réfléchir. En coupant par la forêt il lui faudrait quarante à quarante-cinq minutes pour arriver au gîte d'un ânier qu'il connaissait. A dos d'âne il serait en Suisse en quelques heures. Les ânes, promenant les touristes, utilisaient des sentiers hauts dans la montagne, et ni les gendarmes ni les douaniers n'iraient le chercher là-bas en pleine nuit.

Il se mit en route. Il n'avait plus pratiqué ce genre d'exercice depuis vingt ans, mais il avait confiance en son instinct de conservation.

13

Il se sentait revigoré tant par l'idée qu'il avait de sa propre intelligence que par l'œuvre qu'il venait d'accomplir. Chaque fois le spectacle de sa supériorité l'impressionnait. C'était exaltant et effrayant de remodeler la vie des autres pour satisfaire ses propres besoins. Personne ne l'avait jamais soupçonné ni puni, preuve que les lois ne le concernaient pas.

« Les hommes échouent, mais moi je n'échoue pas parce que je ne suis pas un homme ordinaire. »

Il songea qu'il méritait une récompense ; tant d'années passées à se contrôler en permanence ; tant d'efforts soutenus, d'application sans relâche ; tant d'années à puiser dans ses ressources physiques et mentales, jusqu'au jour où Lénore lui avait souri...

Tout lui parut spécial. Il était capable de créer une réalité qui valait celles décrites par les écrivains les plus imaginatifs. Il partit d'un grand éclat de rire. Ses yeux brillaient comme ceux d'un gamin pervers et vicieux.

Ce soir, il méritait une récompense. Il était temps de quitter le garage pour retrouver Sylvie. Il s'accorda quelques secondes supplémentaires pour jouir du tableau qu'il avait composé.

*

Marmaris avait fini par s'accoutumer à l'obscurité et avançait sur un territoire qui ne lui était pas familier. Il conservait un rythme qui lui permettait de ne pas s'essouffler ; il montait pendant dix minutes, puis s'arrêtait deux minutes pour récupérer. Il essuyait la sueur qui lui brûlait les paupières et massait les muscles raidis de ses jambes.

Il se souvint que ce chemin le faisait passer près de la maison de son associé, qui surplombait le lac. Il profita d'un coupe-feu et d'une trouée dans les arbres pour essayer de la localiser.

Ce devait être celle-là, se dit-il. Le coin sud-est était éclairé. Il vit une ombre passer devant la large baie. Le mouvement l'intrigua. La maison aurait dû être déserte ou gardée par les gendarmes si son associé s'était déjà fait coincer ; mais ce déplacement furtif, on aurait dit quelqu'un cherchant à s'esquiver.

Marmaris se sentit mal à l'aise. Le moindre craquement dans la forêt lui paraissait soudain étrange, menaçant. Il continua de fixer le rectangle lumineux qui se découpait plus haut. Au moment où il pensait avoir été victime de son imagination, l'ombre repassa. Il ne distingua qu'une forme vague qui disparut aussitôt. L'individu prenait ses précautions, comme un cambrioleur.

Qui se trouvait là ? Il pensa immédiatement à Sylvie. Si la gendarmerie n'avait laissé aucun homme, Sylvie, elle, était capable d'en avoir profité pour aller récupérer de la drogue. Elle était folle !

Marmaris escalada un talus et traversa en courant le coupe-feu pour atteindre la lisière du bois. Il regarda sa montre. Un détour d'une dizaine de minutes lui suffirait pour vérifier. Il ne perdrait pas son temps ; il en profiterait pour prendre dans le garage une lampe-torche qui lui servirait en montagne dans les passages difficiles.

Il força l'allure. Il repéra un chemin de terre qui montait jusqu'à la route desservant le lotissement. Par cette voie, l'ascension serait moins pénible.

Il se sentait réconforté, considérant le chemin parcouru sans embûches et le fait qu'on était probablement à mille lieues de se douter de l'endroit où il se trouvait. Il lui fallait redoubler de précautions à l'approche de la villa ; inutile de tomber entre les pattes de ceux qu'il voulait éviter.

Le ruban d'asphalte apparut et Marmaris s'arrêta ; puis, restant en lisière du bois, il obliqua vers le sommet de la côte. Bientôt, le mur d'une clôture se dressa devant lui. Marmaris se glissa jusqu'à son extrémité et, abrité derrière un buisson, il risqua prudemment un œil. Un lampadaire à vapeur de sodium projetait une lumière jaunâtre sur le gravier d'une aire de parking. Il était désert.

Les flics lui avaient-ils tendu un piège ? Songeur, Marmaris contempla le parking. La gendarmerie d'un trou comme Bourg-en-Bresse utiliserait ce stratagème pour s'emparer d'un vulgaire receleur ? Il en doutait. Après tout, il n'était pas recherché pour meurtre. Il étudia les alentours. Décidé à en avoir le cœur net, il retourna dans le bois. Les branches basses d'un sapin lui fournirent l'appui nécessaire pour se hisser sur le mur. Il se laissa glisser à l'intérieur de la propriété.

Les garages se trouvaient à une trentaine de mètres sur sa gauche. Le parc semblait vide de toute présence. Il était prêt à faire mouvement lorsqu'un bruit le fit sursauter. Un éclat de rire !

Pétrifié, il attendit. Il crut voir dans la pénombre quelque chose bouger, et soudain une silhouette surgit à quelques mètres de lui. Elle courait vers le mur d'enceinte. Il la vit prendre son élan et bondir pour s'accrocher au faîte. Après un rétablissement, elle bascula dans le vide et disparut de l'autre côté.

Il se sentait soulagé et frustré ; ce n'était ni les gendarmes ni Sylvie, juste un simple cambrioleur.

Intrigué mais sur ses gardes, il compta jusqu'à dix et se releva. Courbé en deux, il franchit la distance qui le séparait de la porte des garages. En protégeant sa main avec le pan de sa chemise pour ne pas laisser d'empreintes, il tourna la poignée. Une odeur fade et des relents d'huile le prirent à la gorge.

Il referma le battant et resta à l'écoute. S'il n'avait pas peur, il commençait à se trouver imprudent.

« Je prends une torche et je dégage », murmura-t-il en se retournant.

Le spectacle qu'il découvrit dut avoir l'effet d'un coup de poing car Marmaris vacilla et manqua de perdre l'équilibre. Désorienté, il essaya de se reprendre, cherchant à récupérer la notion de temps et de lieu. Tandis qu'il s'efforçait de retrouver ses esprits, il entendit un moteur de voiture ; des phares éclairèrent les lucarnes de la façade ; le gravier du parking crissa brutalement.

Sans perdre une seconde, Marmaris quitta le garage. Deux portières claquèrent, des voix traversèrent la nuit. Il s'accroupit derrière un massif.

Les ténèbres le rendaient invisible aux nouveaux visiteurs, mais la sueur était comme une pellicule de glace sur sa peau.

*

— On sonne ? demanda Morel.

— Non, cette fois on entre, dit Fabienne.

Elle poussa la grille en fer forgé qui s'ouvrit sans difficulté.

— Où est-ce que vous allez par là ? fit Morel.

— Voir si sa voiture est dans le garage.

— On dirait qu'il y a de la lumière à l'intérieur.

Morel se tenait en retrait, une cigarette non allumée aux lèvres. Fabienne ouvrit brutalement la porte. Elle avança de deux pas. L'éclairage, un néon double accroché au plafond, était suffisant pour révéler ce qui se trouvait là. Une nausée la submergea. Elle aurait voulu ressortir et oublier dans la seconde ce qu'elle venait de voir. Mais elle ne pouvait ni bouger ni détourner les yeux.

— Jeff ? fit-elle d'une voix pâteuse.

Le journaliste ne répondit pas.

— *Jeff !*

Elle avait crié. Morel poussa un soupir et la rejoignit. Max Maurice, le brillant notaire, s'était pendu. Une ombre grotesque. Son cou était en partie cisaillé. Une odeur d'urine se dégageait du cadavre. Le câble métallique qu'il avait utilisé était fixé à un crochet qui saillait d'une traverse en béton.

Fabienne ne pouvait se retenir plus longtemps. Elle sortit en courant et se précipita vers le massif le plus proche pour vomir. Quand les contractions se calmèrent, elle releva la tête et s'essuya la bouche. Quelqu'un se trouvait en face d'elle ! De l'autre côté du massif ! L'homme la fixa une fraction de seconde, puis disparut dans la nuit. Elle poussa un hurlement. Morel arriva au pas de course.

— Fabienne ? Ça va ?

Elle était paralysée, bouche bée. Morel s'aperçut qu'elle grelottait. Il passa un bras autour de ses épaules.

— Vous avez vu quelqu'un ? demanda-t-il, inquiet.

Elle leva les yeux vers lui et hocha la tête.

— Venez, dit-il. Allons dans la voiture. Je vais appeler les gendarmes.

14

Il contempla la *chose* inconsciente étendue à ses pieds. Il avait eu la main heureuse et identifié la vraie coupable.

— Sale putain, s'écria-t-il. Espèce de sale putain !

Il se baissa pour tondre la dernière mèche de cheveux. Il venait de lui raser le crâne, comme le notaire Maurice l'avait fait à Laura.

Nue, enchaînée, tondue, Sylvie ressemblait à ces femmes qui servaient au plaisir des nazis. Il songea à ce qu'aurait été sa vie si le Corbeau et le Renard n'avaient pas sauté du train. Ils auraient probablement péri au camp ; et lui, que serait-il devenu ? Quelles joies auraient rempli le vide de son existence ? Peut-être n'était-il qu'une simple enveloppe, après tout ; un réceptacle pour accueillir une âme errant depuis des siècles. Il était sans forces devant sa destinée.

Il se mit à caresser Sylvie. Il lui griffa le dos ; ses ongles s'enfoncèrent, ouvrant des traînées de sang. Elle eut un gémissement. Il l'imaginait se débattant ; il voyait les spasmes dus à la peur et la mauvaise irrigation du cerveau qui en résultait. Il se vit lui labourant le ventre à coups de couteau. Il ne pouvait plus attendre. Il avait un besoin urgent de gratification. La garder vivante plus longtemps lui mettait les nerfs à vif.

L'excitation monta d'un cran. Il devait lâcher les rênes, se laisser aller, purger le trop-plein. Il n'y avait aucun conflit en lui ; pas une ombre de pitié ne se manifestait dans son esprit. Son humanité lui avait été retirée depuis bien longtemps.

Il porta la main à sa hanche pour s'apercevoir qu'il n'avait pas son couteau. Il l'avait rangé dans un placard.

Il se glissa hors du réduit et remonta. Il était une heure du matin. Il allait se mettre au travail sur la fille en prenant tout son temps. Cela l'occuperait jusqu'à l'aube. Il mit du café à chauffer dans le four à micro-ondes ; il en aurait besoin pour sortir Sylvie de sa torpeur. Elle devait participer !

Il alla dans sa chambre. La pièce était noyée de vastes pans de ténèbres ; la lumière émanait d'une liseuse, sur la table de chevet. Il avait commencé à se déshabiller quand il se figea. Sur l'écran de son ordinateur, pareil à un pouls électronique, une faible lueur clignotait.

Il avait un message !

*

— Avalez ça. Vous avez les mains glacées, dit Hélène avec sollicitude.

Elle posa sur la table une tasse brûlante. Devant l'angoisse que reflétait le regard de Fabienne, il n'était pas aisé d'avoir l'air rassurant.

— J'ai besoin de parler, dit Fabienne.

Hélène s'assit en face d'elle.

— C'était lui, Hélène ! Je l'ai vu comme je vous vois ! Il était en face de moi ! C'est lui qui l'a tué et qui a maquillé son... son... crime en suicide ! Il est devenu fou !

— Écoutez-moi ! Je ne crois pas que Marmaris ait tué le notaire, vous m'entendez ? Racontez-moi ce qu'ont dit les gendarmes.

Fabienne avait saisi sa tasse et soufflait sur le breuvage.

— Berthier a dit que ça avait l'air d'un suicide et qu'il y avait sûrement un rapport avec la mort de Laura. Ils ont trouvé une note de Max disant qu'il regrettait ce qu'il avait fait à Laura. Ils ont saisi de la drogue et des films vidéo. Il faut attendre l'autopsie pour en savoir plus, m'a dit Jeff.

Elle esquissa un sourire.

— Quand il a montré sa carte de presse à Berthier, il n'était pas très content, le commandant. Il faisait même une de ces tronches...

— Vous avez parlé de Marmaris à Berthier ?

Fabienne avala une gorgée de verveine.

— Ça réchauffe, dit-elle en reposant la tasse. Non, je ne lui ai rien dit. Je n'ai rien dit à Jeff non plus. Pourquoi êtes-vous persuadée que Melik n'y est pour rien ? A votre avis, que faisait-il là-bas ?

— Je l'ignore. Peut-être la même chose que vous. Le suicide du notaire n'est qu'une mise en scène, Fabienne. Réfléchissez ! Toussainte vous a donné le nom de Max Maurice ; ce même Max Maurice magouille avec Sylvie, et Sylvie a disparu. Maurice, sans motif apparent, sans être soupçonné, se pend. Nous apprenons maintenant qu'il est responsable de la mort de Laura et que, submergé par sa propre culpabilité, il s'est tué.

— C'est peut-être ce qu'il a fait, Hélène.

— Je n'y crois pas ! Sylvie, cette nuit, a avoué à l'assassin que c'était elle qui avait conduit Laura chez le notaire. Il est venu punir celui qui lui avait dérobé son jouet. Ça me paraît évident. Il a procédé comme pour les Ravenne. Vous avez oublié ce qui est arrivé aux Ravenne ? Il les a tués tous les trois en mystifiant la police.

— Je ne sais plus, murmura Fabienne, secouant la tête. Dans la voiture, Jeff m'a dit que vous vous laissez emporter par votre imagination. Pour lui, ce sont deux affaires totalement différentes. Les Ravenne ont été victimes d'une vengeance qui remonte à la guerre ; sur ce point, il est d'accord avec vous. Pour le reste...

— Il pense que je divague.

— Euh... oui. Plus ou moins.

— Tant mieux. Je ne l'aurai pas dans les pattes comme ça. Vous pensez comme lui ?

Elle sentait le scepticisme de Fabienne.

— J'essaye de tenir compte de vos hypothèses... Et si Berthier confirme que c'est un suicide ?

— Ce n'est pas un suicide, mais Berthier dira que c'en est un.

Fabienne resta muette. Hélène se leva.

— Ne parlons plus de ça. Vous avez eu suffisamment d'épreuves ; il est tard et nous ferions mieux d'aller dormir.

Fabienne leva les yeux. Elle paraissait encore bouleversée.

— Ça vous ennuie de dormir ici ?

— Non, dit Hélène. Je vais m'installer sur le canapé. Je l'ai déjà essayé et il est très confortable.

Avant de se coucher, Hélène prit une douche. Fabienne, qui avait avalé un somnifère, s'était endormie immédiatement.

Avant de fermer les volets, Hélène consulta la boîte e-mail qu'elle avait ouverte au nom d'*Eléonore ;* elle était désespérément vide.

« Tu vas répondre, espèce de connard ! » murmura-t-elle, pour apaiser l'inquiétude qui la tenaillait.

Il devait être quatre heures du matin quand elle se réveilla. Elle prêta l'oreille presque malgré elle, à l'affût d'un craquement, d'un bruit signalant la présence d'un intrus dans la maison.

Elle se leva et vérifia si le verrou de la porte d'entrée était bien tiré. Elle alla dans la cuisine boire un verre d'eau et manger une tranche de pain d'épice. Elle entendait la respiration de Fabienne monter de la chambre à coucher ; une respiration lourde, sifflante.

Elle retourna s'allonger. Elle était réveillée à présent, sans espoir de se rendormir malgré la fatigue qu'elle ressentait. Elle avait les nerfs à vif. « A défaut du reste, s'il y a une chose que l'assassin sait faire, se dit-elle, c'est ne rien se refuser. Pas comme moi ! Quelle abominable situation ! Maman a raison ; au lieu de me fourrer constamment dans le pétrin, il est temps que je déménage, que j'achète un appartement, et que je fonde une famille. Pas avec Léo. Je me contrefiche de Léo. Je veux quelqu'un qui ait des bras robustes, capable de me protéger. Dès que Fabienne se réveille, je fonce à l'hôtel prendre mes affaires et je dégage sur Gordes chez mes parents. A partir de maintenant la seule chose qui m'intéresse c'est de me vernir les ongles et de faire les boutiques. »

Dans sa tête, une horrible petite voix chuchotait : « Ce sont des paroles en l'air, ma petite, tu ne penses pas ce que tu dis. J'ai bien peur que tu n'aies plus le choix. »

— Et pourquoi ? répliqua-t-elle à haute voix, rejetant l'oreiller qui lui couvrait le visage. Dans la pénombre, l'écran de l'ordinateur dégageait une faible lueur qui semblait dire : « Tu l'as voulu, débrouille-toi ! » Elle poussa un soupir de lassitude et se leva à contrecœur.

— Bon, je vérifie une dernière fois et j'éteins cette saloperie.

15

Morel examina les silhouettes assises dans la salle. Il vit une main s'agiter. Il longea le comptoir où s'agglutinaient ceux qui attendaient une table, lorgnant au passage une épaule dénudée et un cou bronzé.

— Je vous ai commandé le plat du jour, dit le rédacteur en chef du *Progrès*.

Ils se serrèrent la main et Morel s'affala sur la banquette en cuir.

— J'ai eu mon copain le gendarme, dit Morel avec un sourire.

Il commanda une bière. Il avait écrit dans la nuit un article qui s'étalait en première page. Il était aux anges. Une aubaine qu'il ait découvert le corps ! Il avait fourni bon nombre de détails, après en avoir discuté avec Berthier pour ne pas gêner le déroulement de l'enquête.

C'était une affaire délicate, avec des ramifications qui pouvaient se révéler juteuses : trafic d'objets d'art volés, drogue, filles mineures et messieurs riches ; notaire qui se pend ; sculpteur d'origine turque en fuite.

— Où en est-on avec Max Maurice ? demanda le rédacteur en chef. La thèse du suicide est confirmée ?

— Ils attendent les résultats. Sauf coup de théâtre, le type s'est bel et bien pendu.

Le garçon déposa devant eux du saumon et un gratin de courgettes au vinaigre balsamique.

— Sur quoi porte votre prochain article, Morel ?

Après avoir avalé une gorgée de vin, le rédacteur en chef avait sorti un Palm Pilot de la poche de sa chemise. Il mit ses lunettes :

— J'attends que Berthier me file des tuyaux. Je vais élargir et mettre l'accent sur la drogue et la prostitution dans les écoles.

Le rédacteur en chef resta silencieux.

— Et ces cassettes vidéo saisies chez votre notaire ? Si un autre journal se démerde pour les visionner ou obtenir des copies, nous en ferons les frais.

— Je vais voir, dit Morel. Le commandant de gendarmerie marchera peut-être, mais le parquet...

— Il y a toujours un chemin, Morel. Quelle est votre prochaine étape ?

Le journaliste but une gorgée de sa bière.

« La fille qui est au bar, pensa-t-il. Celle qui a un corsage jaune et qui me regarde. »

*

Fabienne s'était réveillée à midi. Après une douche glacée et deux tasses de café noir, estimant avoir récupéré ses facultés mentales, elle avait téléphoné à la mère de Sylvie Martin. Celle-ci, toujours sans nouvelles de sa fille, semblait moins inquiète ; la mort du notaire lui donnait l'espoir qu'il s'agissait d'une fugue de Sylvie — ce n'aurait pas été la première.

Quant à Hélène, Fabienne avait trouvé un mot disant qu'elle reprendrait contact dans la soirée. Elle avait essayé de la joindre mais son téléphone mobile était fermé.

Morel devait venir à Nantua et comptait sur Fabienne pour l'accompagner dans ses visites ; la mère de Laura, celle de Sylvie ; Toussainte... peut-être.

Elle s'attendait que le journaliste la questionne sur ses relations avec Marmaris. Parler du Turc la contrariait ; il lui avait menti et maintenant c'était un fugitif recherché par la police.

Elle regrettait d'avoir écouté Hélène. Il est probable que, si elle n'avait pas appelé Berthier pour fouiller le domicile de Marmaris, ce dernier serait... Elle haussa les épaules. Dieu sait qu'il n'y avait pour l'instant qu'une vraie victime dans toute cette histoire : la petite Masson.

Par les persiennes ouvertes, le soleil pénétrait à flots dans la pièce ; Fabienne s'était assise au soleil pour sécher ses cheveux. S'arrachant à la contemplation des voiles blanches et bleues qui se traînaient sur le lac, elle tourna la tête. Un bloc-notes se trouvait sur la table. Elle eut un froncement de sourcils et se leva pour y jeter un coup d'œil.

— Mon Dieu, murmura-t-elle, en pressant une main contre sa poitrine.

*

— Elle est complètement tarée ! lança Morel avec la mine d'un gamin contrarié. Je n'ai pas que ça à foutre, moi ! J'ai des gens à voir, un papier à écrire...

— Pour l'amour du ciel, fiche-nous la paix avec ton papier ! lança Fabienne en claquant la portière. Je ne vois pas comment on aurait pu l'en empêcher. Elle a dû trouver le message après que je me suis endormie.

Morel démarra. Fabienne boucla sa ceinture.

— Le plus fort, c'est qu'elle l'a fait revenir en ligne.

— Epargne-moi les détails. A quelle heure et où est le rendez-vous ?

— Seize heures, à Bellegarde. Et tu n'as pas besoin d'être aussi mal embouché !

Il digéra l'information tout en s'efforçant de rester impassible.

— C'est à combien d'ici ?

— Vingt-cinq kilomètres. Prend l'A40, on ira plus vite.

Ils roulaient sur la N84 en direction de Neyrolles. Morel passa une main dans sa tignasse.

— Comment l'a-t-elle accroché ? demanda-t-il.

Il mâchonnait sa lèvre inférieure tout en réfléchissant. « Putain, chaque fois que cette Chinoise fourre son nez quelque part, c'est le bordel. »

Fabienne avait sorti le bloc-notes de son sac et s'était mise à le feuilleter.

— Elle est quand même sacrément maligne d'avoir pensé à lui envoyer une photo de Laura. Tu y aurais pensé, toi ?

Morel secoua la tête.

— Ce type n'existe que dans l'imagination de ta copine. Tu peux parier qu'il n'y aura personne au rendez-vous.

— Donc, tu n'y aurais pas pensé ! Tu veux que je te résume ce qu'il y a sur le bloc, oui ou non ?

Le journaliste sortit une cigarette de son paquet.

— J'ai presque envie de te dire non, mais c'est oui.

— Elle n'a noté que ses réponses à elle ; je pense qu'elle voulait les relire avant de les envoyer, de peur qu'il ne découvre la supercherie.

— Merci pour les sous-titres.

Fabienne lui sourit avec amabilité.

— Je sais que ce n'est pas très important pour toi, mais moi j'essaye de mettre les choses bout à bout. Je n'ai que son texte à elle, je te rappelle. Bref ! Elle dit qu'elle a quinze ans, qu'elle ne vit pas en France, mais tout près, en Suisse. Elle aime Edgar Poe jusqu'à en faire une fixette. Elle adore la montagne, joue au tennis, fait du vélo, et vénère Audrey Hepburn, son actrice préférée. Elle lui demande ensuite son âge, ce qu'il aime faire et où il habite.

— Naturellement nous n'en savons rien puisqu'elle n'a pas noté les réponses, fit remarquer Morel.

— Elle a juste inscrit le chiffre 20 au-dessous de la question. A mon avis c'est ce qu'il a dit pour ne pas l'effaroucher. Il a dû baver en recevant la suite. Elle lui annonce qu'elle part pour une randonnée à vélo en France avec un groupe de filles. Elles vont d'abord dans le Jura, Bellegarde aujourd'hui, puis... la Dombes.

— Elle est dingue !

— Non, il y a plein de Suisses qui viennent voir la Dombes à vélo !

Morel regarda sa montre. Ils venaient de prendre l'A40.

— Si tu veux qu'on soit à l'heure, faut que j'accélère.

Fabienne mit une paire de lunettes noires et se tassa sur son siège.

— Ils ont rendez-vous à la librairie Voltaire, place de l'Hôtel-de-Ville. A ton avis, c'est lui ou elle qui a eu cette idée ? Une librairie, c'est pas mal trouvé.

— Je suis curieux de voir à quoi ressemble ce type, ricana Morel en écrasant le champignon.

16

Gomez avait bu trois bières, histoire de noyer le ragoût de haricots qu'il avait avalé. Son estomac avait doublé de volume. Il régla l'addition et sortit du relais. L'air était brûlant, et il moulina des bras dans un effort désespéré pour créer un peu de vide et permettre à ses poumons de respirer. La pression qui l'étouffait s'atténua. Il grimpa péniblement dans son semi-remorque, un gros Volvo bleu et chrome, immatriculé en Espagne. Il fit tourner le moteur et enclencha à fond la climatisation. Il alluma un cigare hollandais. Son rétroviseur de droite était mal réglé mais il se sentait trop plein pour descendre et l'orienter correctement. Ses paupières étaient lourdes, ses yeux rougis.

— *Vamonos*, dit-il.

Quelques minutes plus tard, il abordait l'A40. Peu après Neyrolles, il coupa sans hésiter la voie de gauche pour doubler et heurta la voiture qui arrivait derrière lui. Il freina à mort, braqua le volant pour éviter le rail de sécurité. Le semi-remorque se mit en travers, puis bascula.

17

A l'intérieur de la librairie Voltaire, dissimulée derrière un rayonnage, Hélène surveillait les clients qui entraient. Elle était là depuis plus d'une heure, par précaution.

Il viendrait pour repérer *Eléonore*, prendre sa mesure ; peut-être même se risquerait-il à l'aborder s'il jugeait l'environnement propice. Il serait déçu de voir que sa proie n'avait pas écouté sa suggestion. En revanche, et même s'il arborait un déguisement, elle ne le raterait pas. Elle était convaincue de pouvoir l'identifier.

Dès qu'elle lui avait annoncé son passage par Bellegarde, il n'avait mis que quelques minutes pour trouver un stratagème.

Un membre du « Cercle des amis d'Edgar Poe », qui vivait à Bellegarde, possédait un recueil de nouvelles inédites ; à ne pas rater, disait son e-mail. Si *Eléonore* le désirait, elle pouvait se rendre à la librairie Voltaire à 16 heures. On lui remettrait l'ouvrage ; elle le lirait durant son périple en France et le rendrait au retour.

Une librairie au beau milieu de l'après-midi, c'était un endroit qui n'inspirait aucune méfiance, avait-il dû se dire.

Sa précipitation à trouver un prétexte indiquait qu'il était à bout. Il lui fallait une victime, la plus proche possible de ses fantasmes, et il la lui fallait sur-le-champ.

A seize heures trente, Hélène dut admettre que quelque chose avait foiré. Inutile de traîner. Elle profita d'un groupe de femmes qui entraient pour se glisser à l'extérieur. Tournant le dos à la circulation, elle s'engouffra dans la première ruelle pour reprendre sa voiture.

En rejoignant l'A40, elle serrait avec force le volant. Elle y avait cru, et à présent la communication avec le mystérieux RR était coupée. Peut-être à jamais.

Et s'il était venu sans que je le remarque ? songea-t-elle. Après tout, je ne l'ai jamais vu. Non, il ne s'était pas déplacé. En découvrant qu'*Eléonore* n'existait pas et que c'était elle, Hélène Wang, qui l'avait piégé, il aurait réagi. Elle avait croisé le regard de tous ceux qui avaient franchi le seuil de la librairie ; elle n'avait rien décelé de particulier.

Elle approchait de Neyrolles. Le trafic était ralenti. De l'autre côté de l'autoroute, un semi-remorque avait basculé, provoquant un monstrueux embouteillage.

La police s'apprêtait à détourner la circulation sur une bretelle à contresens. Les pompiers travaillaient à découper la carcasse du poids lourd et des voitures.

Elle avait bien fait de prendre ses précautions pour être en avance à la librairie ; elle n'aurait pas supporté de se retrouver coincée dans un embouteillage, condamnée à regarder l'heure tourner, l'imaginant dans la librairie...

Elle freina brusquement. C'était lui qui se trouvait bloqué ! Il venait de Nantua ! Il avait sûrement pris l'A40 pour se rendre à Bellegarde ! Abandonnant sa voiture sur la voie d'urgence, elle réussit à traverser l'autoroute. De l'autre côté, les voitures n'avançaient toujours pas.

— Depuis combien de temps êtes-vous là ? demanda-t-elle à un automobiliste.

— Plus d'une heure, jeta-t-il, renfrogné. Et on n'a pas avancé d'un mètre !

Hélène regarda sa montre. Il était seize heures quarante-cinq ; l'accident avait dû se produire vers quinze heures quarante. L'assassin, s'il avait prévu d'arriver en avance à la librairie, était coincé plus haut. Elle se mit à courir, remontant la file de trois kilomètres qui s'étirait jusqu'au lieu de l'accident.

18

La vision s'était dissipée et la réalité l'avait frappé. Il était trop tard. Sa caméra digitale devenait inutile. Tout devenait inutile. Sa frustration, pareille à une décharge électrique, le secouait. Il avait rêvé en découvrant l'image d'*Eléonore* ; si confiante, si innocente, si semblable à Laura. Il avait été heureux comme jamais depuis des jours. Il en avait oublié Sylvie.

Il ne pourrait pas la prendre dans ses bras, la serrer, sentir son sexe se raidir. Il avait l'impression d'être à la fois mort et vivant devant ce coup du destin. Plus jamais il n'en retrouverait une pareille !

C'est alors qu'il la vit. Hélène Wang ! Qu'est-ce qu'elle fabriquait ici ? Elle avançait entre les voitures, examinant le visage des conducteurs. La compassion qu'il éprouvait pour lui-même se changea en fureur. C'est elle qui lui avait fait ça ! Il n'y avait jamais eu d'*Eléonore* !

Il fut saisi d'un besoin irrésistible de la briser, de lui arracher le cœur. Il la vit s'approcher. Sa fureur retomba quand il songea qu'elle allait le reconnaître. Il demeura figé derrière son volant, le souffle court. Hélène s'était arrêtée. Elle tourna la tête comme si quelqu'un l'appelait. D'une voiture bloquée, deux personnes lui faisaient signe. Il reconnut Thomas-Blanchet et le journaliste du *Progrès*.

Il était coincé. Il fallait faire vite. Repartir. Malgré ses efforts, il ne parvenait pas à trouver une solution. Cette constatation l'affola. Il regarda dans le rétroviseur et sursauta. Son inquiétude s'envola. Ses facultés lui revenaient. Son esprit était clair, survolté. Comment le reconnaîtrait-elle sous son déguisement ? Il avait à tort maudit son étoile : s'ils s'étaient trouvés face à face dans la librairie, là, elle l'aurait peut-être deviné.

Les deux autres la pressaient de les rejoindre. Devant, la bretelle avait dû être ouverte car les voitures commençaient à bouger.

Il ouvrit la portière et descendit. Elle s'était tournée vers lui. Elle le regardait. Il lui sourit.

— Vous êtes en panne ? demanda-t-il.

C'était un bel après-midi de juillet et il sentait le soleil lui chauffer les épaules. Hélène Wang vacillait, haletante, perdue, épuisée.

— Vous êtes sûre que vous n'avez pas besoin d'aide ?

— Non, ça va. Merci, répondit-elle en lui tournant le dos.

19

Morel dormit mal. A six heures, il finit par renoncer au sommeil et s'habilla pour faire un jogging. Au bout de dix minutes, essoufflé, il se dirigea avec soulagement vers un banc. Un pâle soleil d'été colorait les collines. Les arbres montraient de multiples nuances de vert. Il s'assit et se mit à observer les eaux du Rhône.

La cavalcade de la veille l'avait achevé. Somme toute, il n'avait plus de raison de se tracasser. Sylvie avait écrit à sa mère ; manifestement elle n'avait pas disparu. Lui, Morel, avait envoyé son article à temps. Quant à Hélène Wang, la leçon était sévère et elle avait perdu sa crédibilité.

La circulation s'alourdissait sur les berges et Morel se leva. Il avait envie de lire son papier devant un bon café et une première cigarette. Il en profiterait pour élaborer un plan, voir comment obtenir de Berthier une copie des cassettes trouvées chez le notaire.

Plus tard, tout en s'habillant, il n'avait toujours pas trouvé quelle histoire il allait servir au commandant de gendarmerie. Il avait parlé de lui dans son article ; ce genre de petite attention était payant mais insuffisant.

Il s'installa devant son ordinateur et parcourut ses notes, soulignant les points qu'il lui faudrait éclaircir. Il se rendit compte que lui, Jean-François Morel, n'avait que Jeff Morel sur qui s'appuyer, et ça, c'était un détail à ne pas négliger. A neuf heures précises son téléphone portable sonna.

— Morel, dit-il prenant l'appel.

Quand il apprit l'identité de son correspondant un sourire illumina son visage. Après tout, Jeff Morel, lui, avait trouvé quelqu'un sur qui s'appuyer.

*

Vêtue d'un tee-shirt et d'un pantalon noir, Hélène s'était assise sur un banc à l'ombre d'un saule. Ses lunettes de soleil bien en place, elle avait retrouvé l'anonymat.

« Vue de loin, je dois ressembler à un corbeau », se dit-elle.

La certitude que la réponse aux énigmes était dans son cerveau la mettait mal à l'aise. Chaque fois qu'elle imaginait se rapprocher de la solution, celle-ci s'effaçait comme une inscription sur le sable que les vagues recouvrent. Elle entendit une voix demander :

— Puis-je m'asseoir ?

Elle leva la tête, vit l'expression inquiète du vieil homme et lui sourit machinalement. Il s'assit à ses côtés et appuya ses deux mains sur sa canne.

— C'est un beau lac, dit-il.

Hélène acquiesça. Il se tourna vers elle.

— Je m'appelle Henri Gorju. Je ne crois pas vous avoir rencontrée. Vous habitez le village ?

Il laissa échapper un gloussement.

— Je m'en serais souvenu.

— Je suis en vacances, dit Hélène.

— Ah ! Les vacances ! Qu'est-ce que je disais déjà ? Oui, le lac. Je venais souvent m'asseoir sur ce banc avec ma femme pendant la belle saison. Elle adorait cet endroit. Elle m'a quitté... ça fait huit ans...

— Je suis désolée.

— Une femme comme ça...

Il secouait la tête avec regret.

— Le moule est cassé. C'est ce qu'on dit, je crois. Mariette, qu'elle s'appelait. Dix fois elle a échappé à la mort, pour se laisser partir à cause d'une petite bronchite. Une femme qui a recollé sa vie...

Le vieillard avait les yeux perdus dans le lointain.

— Peut-être avait-elle des choses plus importantes à faire là-haut. Vous, les jeunes, vous avez la chance de ne pas avoir connu la guerre ; ma Mariette, elle, elle était plongée dedans jusqu'au cou avec ses histoires de résistance... mais... c'est loin tout ça.

Il y avait de l'amertume dans sa voix.

— Je vous embête... Vous avez l'heure, s'il vous plaît ?

Hélène regarda sa montre.

— Il est presque onze heures.

— Ah ! J'ai un peu de temps. J'ai rendez-vous avec un journaliste. Il vient de Lyon pour me voir.

Il haussa les épaules.

— Il s'intéresse à ma Mariette. Il fait un article sur les déportés. Enfin, c'est ce qu'il m'a dit. Mariette tenait un journal, vous savez.

— Je ne savais pas, dit Hélène aimablement.

— Oh, oui ! Elle en tenait un, et même qu'elle disait que dans ce journal, y avait des trucs qui pouvaient chambouler le village. Elle était à Buchenwald, vous savez.

— A Buchenwald ?

— Oui, dit le vieil homme. Bon, faut que je marche un peu maintenant avant de voir ce Morel.

S'appuyant sur sa canne, il se mit debout.

— Comment avez-vous dit que ce journaliste s'appelait ?

Hélène avait retiré ses lunettes.

— Morel. Il travaille dans un journal, je ne sais plus lequel.

Hélène sentit son cœur battre de façon désordonnée.

— Monsieur Gorju, votre femme connaissait-elle dans la résistance un homme qui se faisait appeler le « Corbeau » ?

*

Fabienne contemplait la tranche de pain d'épice. Elle avait grossi ces derniers mois, surtout depuis sa séparation d'avec Marmaris.

Sans enthousiasme, elle avait décidé de commencer à faire de la gymnastique et de se mettre au régime. A présent que le calme était revenu dans sa vie, elle s'était fixé une série d'objectifs qu'elle entendait tenir. Finie la vie incohérente et décousue.

Le lac était inondé de soleil. Une belle journée pour profiter des vacances, se dit-elle. Le souvenir de cette horrible nuit finirait bien par s'estomper. Elle était désolée pour Hélène. Se laisser emporter aussi loin par sa propre imagination... Elle en souffrirait.

La sonnerie du téléphone retentit. Après avoir hésité, elle se força à décrocher. La nervosité de son interlocuteur perçait dans sa voix.

— Fabienne ? C'est Melik.

— Melik ! Mais t'es complètement fou de m'appeler ! Où es-tu ?

— Loin. Je suis loin. Écoute... je ne peux pas rester longtemps. J'ai eu la mère de Sylvie qui m'a dit que sa fille était partie. Tu sais où ?

— Bien sûr que je sais. Tu ne crois pas que tu pourrais lui foutre la paix à cette gamine, surtout maintenant... avec ce qui t'arrive...

— Je n'ai pas l'intention de la rejoindre. Je veux simplement avoir de ses nouvelles. Tu peux comprendre, non ? Alors ? Où est-elle ?

— Ne t'inquiète pas. Elle s'est éloignée quelques jours. Après toutes ces histoires...

— Je ne suis pour rien dans la mort de Laura. C'est cette ordure de Maurice...

— Maintenant, c'est une ordure ! Tu t'es bien associé avec lui, non ?

— Laisse tomber ! Où est Sylvie, bon sang ?

— Ne crie pas ! Elle est sur la côte, si tu veux savoir !

— Sur la côte ? Quelle côte ?

— La Côte d'Azur. En France ! Tu te souviens encore de la France ?

Il y eut un silence au bout de la ligne.

— Melik ?

— C'est sa mère qui t'a dit ça ?

— Oui, c'est sa mère. Sylvie lui a écrit qu'elle partait à la mer une semaine.

— Fabienne, c'est impossible !

La voix de Marmaris était presque inaudible.

— Qu'est-ce que tu es en train d'insinuer, Melik ?

— Rien, bon Dieu ! Sylvie n'a pas pu écrire cette lettre. Il faut que tu préviennes la police, Fabienne. Appelle-la tout de suite !

— Qu'est-ce qui se passe ? Pourquoi tu dis qu'elle n'a pas écrit cette lettre ?

Fabienne éprouvait une drôle d'impression.

— Parce qu'elle déteste la mer ! C'est comme ça ! J'ai voulu l'y emmener plusieurs fois et elle a toujours refusé... Fabienne, tu m'entends ?

20

— Ça vous ennuie si on reste dans la cuisine ? demanda le vieil homme.

— Pas du tout, dit Hélène.

Elle avait proposé à Gorju de l'accompagner en voiture jusque chez lui. Ils avaient tourné dans les rues des alentours : le vieillard semblait avoir perdu le sens de l'orientation. « C'est pas souvent que je rentre chez moi en voiture, avait-il dit. D'habitude je marche, je prends les petites rues où je ne risque pas de me faire écraser. »

Hélène avait fini par se garer et ils avaient terminé le reste du chemin à pied, empruntant des ruelles pavées avant de franchir une vieille arche en pierre. Au bout d'un chemin de terre, il avait ouvert une porte qui donnait dans cette cuisine. Hélène avait réussi à le convaincre de lui montrer le journal de sa femme.

— Vous êtes certain que votre femme connaissait Desmeuraux et Mayeux ? reprit Hélène. Le Corbeau et le Renard ?

Le vieil homme avait posé sa canne contre la table.

— Ces deux-là ? Tout le monde les connaissait. Deux chenapans qui se croyaient tout permis parce qu'ils étaient dans la Résistance.

— Comment ça, tout permis ?

— Oh, c'est une vieille histoire mais je me souviens que Mariette en parlait souvent. Même qu'elle disait que si ç'avait pas été la guerre, on les aurait mis en prison après ce qu'ils avaient fait.

Il fouilla dans sa poche, ne sembla pas trouver ce qu'il cherchait, eut un sourire désolé, puis finit par s'asseoir en face d'elle. Quelque chose comme un éclat d'intérêt vint affleurer son regard.

— Vous voulez savoir, hein ?

— C'est vous qui m'en avez parlé le premier.

— C'est vrai. Je ne sais plus ce que je cherchais. Ah ! Où j'en étais ? Le Corbeau... des deux, c'était lui le chef. Il avait pas peur des boches — c'est comme ça qu'on les appelait, les boches ! Alors, un jour, à ce qu'on raconte, les deux ont filé en forêt... faire une promenade... mais je ne vous ai rien offert à boire.

— Un verre d'eau, merci. J'ai vraiment chaud.

Gorju s'était levé. Il prit un verre et le remplit d'eau du robinet.

— C'est qu'ils étaient pas seuls, Desmeuraux et son copain, reprit-il. Y avait une fille avec eux.

Il posa le verre devant Hélène.

— Une fille ?

Elle but d'un trait.

— Ouais. La fille à Marcelin. Annette, qu'elle s'appelait. On disait de Marcelin qu'il fricotait avec les boches.

— Et qu'est-ce qui s'est passé ?

— Oh ça ! On l'a appris que le lendemain. Le père Marcelin cherchait sa fille, alors il s'est tourné vers les gars de la Résistance. Desmeuraux lui a dit qu'il y avait des patrouilles de boches dans les bois et que peut-être elle était tombée sur l'une d'elles.

Le vieux s'interrompit sous le coup d'une pensée soudaine.

— C'est pas tout ça, mais faut que j'aille vous chercher le journal de ma femme.

— Qu'est-ce qui s'est passé pour Annette ?

— Ben, le lendemain on l'a trouvée gelée, couverte de neige.

Gorju avait pris sa canne.

— Ça vous ennuierait de m'accompagner ? Faut que j'aille à la cave pour prendre le journal. Il est dans la cantine avec les autres papiers de Mariette. L'escalier est un peu raide, et à mon âge, vous savez...

Hélène s'était levée.

— Non, bien sûr. Annette, on l'a retrouvée morte ?

— Ah ! Annette ! Ben, faut croire que le ciel avait pas voulu d'elle. Elle était pas morte, même qu'elle était à moitié gelée et que son crâne, il en avait pris un sérieux coup.

Il ouvrit une porte.

— C'est pas bien clair, là-dedans. Y a que l'interrupteur du bas qui marche. Faudra que je fasse réparer celui du haut.

— Je peux passer devant si vous voulez ?

Une bouffée d'humidité montait de la cave. « Il fait meilleur que dans la cuisine », se dit Hélène.

— L'Annette, on l'a emmenée à l'hôpital. Les gens ricanaient dans le dos du père Marcelin en disant que c'était ses copains les boches qui l'avaient remercié en s'occupant de sa fille.

Hélène avait descendu deux marches. Elle gardait une main sur le mur ; l'escalier n'avait pas de rambarde.

— Les docteurs l'ont opérée de la tête et ils ont dit qu'elle s'en sortirait, mais qu'elle serait plus jamais comme avant.

Hélène entendait le vieil homme souffler juste derrière elle. Il tapait sur les marches avec sa canne, comme pour s'assurer de leur solidité. Elle s'arrêta et tourna la tête. La silhouette du vieillard se découpait dans l'embrasure de la porte.

— Comment ça ?

— Ben qu'elle était plus normale, quoi. A cause du coup qu'elle avait reçu. Quand elle s'est réveillée, elle a cru qu'elle était dans la forêt. C'est là qu'elle a parlé du Corbeau, du Renard, et de ce qu'ils lui avaient fait.

— Mon Dieu ! dit Hélène en descendant une marche.

Le vieux avait posé la main sur son épaule.

— C'est pas tout. Quand le Marcelin a su la vérité, il a dénoncé les deux types aux boches. C'est comme ça qu'il y a eu la rafle au collège.

— On n'y voit plus du tout, dit Hélène.

— Encore quelques marches et vous trouverez l'interrupteur.

— Qu'est devenue Annette ?

— Annette ? Ben, faut dire que les ennuis de Marcelin se sont pas arrêtés là. Deux mois après sa fille est retournée à l'hôpital.

Hélène tâtonnait dans le noir à la recherche de l'interrupteur. Le vieux s'était tu.

— Je vous écoute, monsieur Gorju. Pourquoi est-elle retournée à l'hôpital ? Ça y est, j'ai trouvé la lumière.

— Parce qu'elle était enceinte, pardi.

21

Morel s'impatientait. Gorju avait plus de trois quarts d'heure de retard. Il lui avait donné rendez-vous au cimetière, dans l'allée qui menait à la tombe de sa femme. « Je vous apporterai son journal, avait-il promis. Vous le lirez pendant que je resterai un peu à côté de ma Mariette. »

Le journaliste sortit son mobile. Il l'avait coupé pour qu'on ne le dérange pas. Il consulta ses messages. Gorju l'avait peut-être appelé pour lui annoncer son retard ou un empêchement de dernière minute. Il n'y avait aucun appel de lui mais trois de Fabienne. Il fallait qu'il entre en contact avec elle le plus rapidement possible. A propos de Sylvie.

— Hé merde ! s'écria-t-il.

Elle décrocha à la première sonnerie.

— Tu es où, là ?

— A Nantua, au cimetière. Qu'est-ce qui se passe ?

— Au cimetière ! J'ai reçu un appel de Marmaris. Il s'inquiète pour Sylvie. D'après lui elle n'aime pas la mer et il ne comprend pas qu'elle soit allée là-bas...

— C'est quoi cette embrouille ?

— Je n'en sais rien. Il m'a dit qu'un jour il avait voulu emmener Sylvie sur la côte et qu'elle avait refusé.

— Peut-être qu'elle a refusé parce que c'est lui qui lui proposait ?

— Arrête ! Je voudrais que tu appelles Berthier.

— Et qu'est-ce que je vais lui dire, moi, à Berthier ? Que tu as reçu un coup de téléphone d'un mec en cavale qui affirme que sa copine n'aime pas la mer ?

— Oui. Fais-le pour moi, s'il te plaît.

— OK. Tu ne saurais pas par hasard où crèche un vieux type du nom d'Henri Gorju ?

— Gorje quoi ?

— Te fous pas de moi ! Gorju ! Henri ! Je devais le retrouver près de la tombe de sa femme Mariette... Attends une seconde !

Morel avait sorti son carnet.

— Mariette Vidal, dit Lolo. Vidal, c'est son nom de jeune fille, je suppose. Elle était dans la Résistance ; les Allemands l'ont déportée à Buchenwald.

— C'est la première fois que j'entends ce nom. Tu es sûr...

— Je te rappelle dans cinq minutes.

Après avoir raccroché, Morel laissa un message pour Berthier, puis s'avança dans l'allée. Il se souvenait de l'endroit où le vieux avait déposé son bouquet de fleurs des champs.

— Voyons, Mariette Vidal ou Mariette Gorju, ça devrait être par ici, maugréa-t-il en examinant les pierres tombales.

22

Au moment où la cave s'éclairait, Hélène entendit un sifflement et sentit le déplacement d'air, pareil au son d'une détonation qui arrive après que la fumée s'est échappée du canon. Elle se sentit rouler au bas de l'escalier.

Le vieux l'avait frappée au visage avec sa canne.

Elle entrevoyait tout sous un angle étrange. Elle essaya de bouger la tête pour le repérer, mais il avait disparu. Elle entendit un cri, étouffé, lointain, qui venait de sa propre gorge. Il lui avait décoché un coup de pied dans les seins. La douleur lui perçait la poitrine, tel un éclat de métal dur et coupant. Quelque chose battait dans sa tête ; quelque chose qui la maintenait en vie et qui l'étouffait en même temps.

Il va me découper en morceaux.

Ce fut l'unique pensée qu'elle parvint à formuler au milieu de la houle noire qui venait à intervalles réguliers se briser sur ce qui lui restait de conscience.

23

Morel avait parcouru l'allée dans les deux sens sans trouver la tombe. Un fiasco total.

« Je voudrais jeter un coup d'œil au registre des décès », avait-il demandé à Fabienne en la rappelant.

L'employé de la mairie leur avait fait quelques difficultés, mais Fabienne s'était débrouillée pour le convaincre. Le journaliste terminait de feuilleter le dernier livre.

— Rien ! Rien sur Gorju ! Rien sur Vidal ! Je ne comprends pas. Un gentil petit vieux ! On aurait dit mon grand-père.

En sortant de la mairie ils s'étaient arrêtés sur le trottoir.

— Tu dis que ce type t'a abordé au cimetière le jour où Laura a été enterrée ?

— C'est ça.

— On y était et on t'a pas vu.

— Je suis arrivé quand tout était fini. Il y avait ce vieillard, avec un bouquet de fleurs. Précision, c'est moi qui l'ai abordé.

— Il t'a menti. A mon avis, il devait avoir une bonne raison pour le faire, fit remarquer Fabienne avec un certain bon sens.

Elle avait allumé une cigarette et paraissait songeuse.

— J'ai comme une intuition, Jeff.

Morel avait levé les bras au ciel. Il écoutait avec méfiance.

— Tu te souviens qu'Hélène nous a dit que l'assassin se déguisait, et qu'on avait vu un type avec une canne sortir de l'immeuble de Mme Buzinski, juste après sa mort.

— Non. Si... vaguement.
— Et si c'était lui ?
— Quoi lui ?
— Le vieux, l'assassin ! Il t'a téléphoné pour te donner rendez-vous.
— Et pourquoi m'aurait-il donné rendez-vous ? Pour m'avouer ses crimes ?
— Non, Jeff. Pour te tuer.

24

Malgré la fraîcheur, Hélène suffoquait. Le côté gauche de son visage la brûlait. Elle retrouvait peu à peu sa lucidité. Elle était toujours dans la cave, assise sur une chaise, les mains attachées. Le sol était recouvert d'une bâche verte en plastique ; sur sa droite, des étagères servaient de remise à des outils de jardinage.

Il s'était installé en face d'elle, à deux mètres de distance, un couteau posé sur les genoux, la pointe ostensiblement tournée dans sa direction.

Hélène voulut avaler sa salive ; elle n'en avait plus. Personne ne savait qu'elle était là. Il avait gagné.

— Votre visage me dit quelque chose. Nous nous sommes déjà rencontrés. Voyons... où était-ce ? demanda-t-il.

Il faisait semblant de chercher le souvenir d'une tache lumineuse.

— Un autre verre d'eau ?

Il fit mine de se frapper le front.

— Ah ! Sur le banc, dit-il en claquant des doigts. Je me souviens.

— Où est Sylvie ? demanda Hélène.

C'était comme si elle attendait de sa part une réponse tout en la connaissant déjà. Il se mit à réfléchir, faussement troublé.

— Vous êtes merveilleusement informée, *Hélène* ! Pourquoi ne pas m'en dire davantage ? Que savez-vous de moi, d'Henri Gorju ?

— Qu'il s'agit d'un déguisement.

Il se redressa. Son regard glissa sur les murs, puis revint se poser sur elle. Il laissa ses doigts errer sur son sexe. Son autre main caressait la lame du couteau. Les veines de son cou s'étaient gonflées. Son sang circulait plus vite.

— Ah ! Et comment appellerions-nous l'homme qui se déguise ainsi ?

— Par son nom. Jérôme Joffré, *professeur de lettres* !

Il hocha plusieurs fois la tête, avant de la fixer à nouveau. Il se leva et s'approcha d'elle. C'était trop tôt. Il fallait le stopper.

— Vous êtes le fils d'Annette ! hurla-t-elle.

Elle tentait d'imaginer le décor. Cette forêt proche de Nantua ; le sol couvert de neige, et l'odeur des sapins, et Annette avec Desmeuraux et Mayeux.

Qui était le père de Jérôme Joffré ? Le Corbeau ou le Renard ?

Il fit demi-tour et retourna s'asseoir. Il mit longtemps avant de demander :

— Comment avez-vous deviné ?

Ses mains tremblaient. Sous son masque de vieillard l'expression avait changé.

— Quand vous m'avez appris qu'Annette était enceinte, dit Hélène.

Il fixait le sol comme si tout était contenu dans cette affirmation.

— N'être que la conséquence d'un viol ! D'après Marcelin, je ressemblais à Guillaume Desmeuraux, donc... les lois de l'hérédité... je suis son fils. Ni vous ni personne ne comprendrez ce qu'a été cette expérience.

— Je crois...

— Vous ne croyez rien du tout ! Moi, j'ai vécu une agonie. Moi, j'ai cru devenir fou. Ma sœur Flora, elle, *est* devenue folle.

— Votre sœur ?

— Ma mère a eu des jumeaux. Flora était ma fausse jumelle. J'imagine que c'était la fille du Renard ; deux violeurs, deux enfants. Le compte y est. Le vieux Marcelin n'a laissé à Flora aucune chance.

Il sourit sans dissimuler la joie qu'il éprouvait à révéler ce qui se tapissait dans les recoins de son esprit.

— Marcelin, c'était mon grand-père. Il n'avait rien d'un vieux père Noël. C'était une ordure. Un jour, j'avais cinq ans, il s'est penché vers moi et m'a dit que j'étais le produit de deux mauvaises graines, deux sales petites graines : la mauvaise graine de mon père et celle de ma mère, que Dieu avait punie en la condamnant à se pisser et à se baver dessus avec le coup sur la tête qu'ils lui avaient donné. Pour Marcelin, sa fille n'était qu'une putain qui l'avait tourné en ridicule. Mais lui, il couchait avec elle, sa propre fille débile. Toutes les nuits il me faisait revivre la scène du viol ; j'entendais ma mère gueuler quand il abusait d'elle. Il réécrivait mon cauchemar. J'ai tiré autant de force des cris de ma mère et de son abjection qu'il en a tiré de ma soumission. Je le détestais, mais je n'ai pas eu à réfléchir. Il m'a élevé pour être l'instrument de sa vengeance. Je l'ai entendu des milliers de fois le répéter : je devais tirer ma force de la terreur. Ils avaient violé sa fille, et pour lui c'était un crime de sang. Dans la région, on ne plaisante pas avec ça. Pour moi, le message était clair. Je suis allé plus loin qu'il ne l'espérait, mais pour mon propre compte.

Marcelin avait bien choisi. Il avait trouvé la matière psychique, l'esprit sans conscience et sans remords.

— Dans les Glacières du Roi, c'était votre sœur ? demanda Hélène.

— La pauvre était folle. Marcelin la violait, elle aussi. Quand elle s'est échappée de l'asile, je l'ai emmenée aux Glacières. Elle aimait l'endroit. Elle a menacé de tout révéler et je l'ai étouffée. C'était une libération pour tous les deux.

Ses yeux s'étaient chargés d'une fixité obsessionnelle. Quelque chose de singulier y palpitait. Il commence à imaginer le bon temps qu'il va prendre, pensa Hélène.

— Puis-je avoir une cigarette ? demanda-t-elle.

« Lui donner l'impression que j'accepte mon sort. Ne pas montrer mon angoisse. Ne pas faire monter son niveau d'excitation. J'ai besoin de quelques minutes. Une petite chance. »

— Je ne savais pas que vous fumiez ?

— Socialement, ça m'arrive.

Il eut un sourire arrogant. Il alluma une cigarette et la lui glissa entre les lèvres. Elle tirait de courtes bouffées, reposant chaque fois ses mains liées sur ses genoux. Elle ne quittait pas Joffré des yeux. Elle refusait de regarder les manches des outils qui dépassaient de l'étagère, près de sa chaise.

« Continue à le faire parler, Hélène ! »

— Et le Corbeau ?

— C'était mon père. Je ne l'ai pas retrouvé par hasard. Après toutes ces années, comment faire le rapport entre Guillaume Desmeuraux, le petit résistant, le violeur évadé du train, et un inconnu perdu dans la foule ? J'avais changé de nom, je ne voulais plus m'appeler Marcelin. C'est ça qui m'a donné l'idée. Je n'ai jamais cru que Desmeuraux était mort et qu'on l'avait enterré. Quand j'ai fini par l'identifier, son destin était que je le mette en pièces. Je suis patient, vous savez. Avant d'être ici, j'étais à Aix-en-Provence. J'ai fait le voyage jusque dans la Dombes pour m'occuper de la famille Desmeuraux. Ce n'est que quand j'ai retrouvé la trace de l'ex-femme de Mayeux, la mère de Laura, que j'ai demandé ma mutation à Nantua. Je voulais m'occuper de Laura l'année de ses quinze ans, en souvenir de ma mère. Elle avait quinze ans quand ils l'ont violée... Là, je mens. Laura, c'était pour mon propre plaisir. C'est pour ça que je ne me suis pas occupé de ses parents. D'ailleurs, le Renard avait foutu le camp à Madagascar et je déteste l'avion.

— Pour quelle raison m'avez-vous choisie, moi ?

Il parut surpris.

— Mais pour ajouter une dimension à tout ça, *Hélène*. Et parce que j'aime ce que vous écrivez. Je vous l'ai dit, vous avez du talent. Pas autant que moi, bien sûr.

« Je ne peux pas lui parler de Lénore ! Je dois attendre quelques instants ! La cave, c'est sûrement le coin qu'il a emménagé pour se débarrasser de ses victimes. Une pièce remplie de caisses vides, d'outils... Il n'y a rien d'autre. Si, sur l'un des murs une rangée d'étagères. Peut-être a-t-il diminué la profondeur pour se ménager une tanière. »

— Marcelin, votre grand-père, vous l'avez tué ?

— Je n'ai pas eu cette chance. Il a crevé dans son lit quand je faisais mes études.

— Et Sylvie dans tout ça ?

— Elle ne me sert plus à rien maintenant que notre bon notaire s'est suicidé. Le beau Max pissait dans son froc quand je l'ai pendu. Dommage, il n'a pas dû sentir grand-chose. Vous auriez dû voir le tableau ! Très postmoderne. C'était son expression favorite. Rassurez-vous, vous allez assister à un spectacle bien plus excitant. Vous avez essayé de me duper avec votre message sur *Eléonore*, et ce rendez-vous bidon. Maintenant, vous allez comprendre ce qu'il en coûte de se mettre en travers de mon chemin.

Il se leva. Elle crut qu'il était trop tard, qu'elle avait manqué l'occasion. Il se contenta de soulever un coin de la bâche. Il déplaça deux rouleaux de tuyaux d'arrosage et se glissa dans l'espace entre la dernière étagère et le sol. Derrière, le mur devait avoir une ouverture. Il réapparut moins d'une minute après. Il tenait l'extrémité d'une chaîne et donnait de violentes secousses.

— Voilà notre Sylvie qui arrive, dit-il. Allez ! Dépêche-toi !

À l'autre extrémité de la chaîne, Hélène vit surgir un corps fragile et nu. Une cagoule de cuir enserrait la tête de Sylvie. Il la lui retira. Quand elle vit le crâne tondu à ras, le visage qui ne reflétait que l'hébétude, Hélène se mordit les lèvres jusqu'au sang. Sylvie levait la tête, regardant la lumière avec des yeux hagards. Sa chair était marquée par les sévices et les tortures.

Joffré reprit sa place, le couteau posé sur ses genoux.

— Voyons, par qui commençons-nous ? Par Sylvie. Elle est très obéissante. Ici !

Il tira sur la chaîne et Sylvie vint contre lui. Il lui prit la main et la posa sur le renflement entre ses cuisses. Il ne restait à Hélène que quelques bouffées à tirer de sa cigarette. Malgré le filtre, la fumée était chaude.

— Je ne pense pas que vous l'impressionniez, dit Hélène. Elle a l'habitude des vrais hommes.

Il émit un cri sourd et repoussa Sylvie. Une voix au timbre bizarre sortit du fond de sa gorge.

— Saloperie de Chinoise !

— Et Lénore ? Elle savait ? dit Hélène.

— Elle savait quoi ?

Il y avait une menace dans sa voix, mais curieusement sa bouche dessinait une moue d'enfant grondé.

— Que son père était aussi le vôtre. Que vous étiez son demi-frère !

Il fallait se lancer.

— Quand vous l'avez violée, quand vous lui avez arraché le cœur, quand vous l'avez découpée en morceaux, vous lui avez dit que vous étiez son frère ? Vous lui avez dit que Ravenne était votre père à vous aussi ? Vous le lui avez dit ! Et Annette, votre mère, Flora, votre sœur, vous les avez baisées elles aussi ? Répondez-moi ! Vous les avez baisées ou vous vous êtes contenté de vous branler ? Répondez-moi !

Une fureur sauvage se lisait dans le regard de Joffré. Les veines et les tendons saillaient sur son cou. Il ne pouvait plus se retenir. Quelque chose à l'intérieur céda et la rage le fit jaillir de son siège.

25

Fabienne jeta son mégot dans le caniveau. Morel s'était appuyé à sa voiture.

— En admettant que tu aies raison, dit-il ; la vérité, c'est que nous ne savons pas qui est Gorju. Nous n'avons pas le moindre élément pour faire un rapprochement.

— Merde, Jeff, intervint Fabienne en se tournant vers lui, l'air furieux. Comment t'as fait pour décrocher ton diplôme ? Pas le moindre élément ! Ceux qu'on a devraient nous suffire, tu ne crois pas ? Et ça se dit journaliste d'investigation !

— Ah oui ? Et qu'est-ce qu'on a ?

— On a un type qui sait qu'Hélène Wang vient à Nantua. Il l'appelle dans le train, donc il connaît son numéro de portable et son emploi du temps. Il écrit une confession qu'il lui fait parvenir par le biais d'un concours pour les jeunes de la ville ; donc il a lu l'affiche à la médiathèque. Ce type n'est pas un crétin. C'est un fan d'Edgar Poe ; il est cultivé et il a des dons de comédien...

Elle s'interrompit pour reprendre haleine.

— C'est beaucoup et pas grand-chose. Nous savons aussi qu'il a donné rendez-vous à Hélène dans une librairie. Pas un café, une librairie. Nous supposons qu'il a enlevé Sylvie, et ça, ça veut dire qu'il connaît ses habitudes. Tu ne crois pas que tout converge dans une même direction ? Ça paraît logique, non ?

Morel venait d'ouvrir la portière quand il s'immobilisa.

— Attends ! Tu as dit une librairie, pas un café ?

Fabienne haussa les épaules.

— Oui, une librairie. T'as perdu la mémoire ?

— Pourquoi, pressé de répondre, a-t-il proposé une librairie ? Il aurait pu lui donner rendez-vous dans un café. C'est ce que j'aurais fait. Une librairie, Edgar Poe, un manuscrit, une romancière, des lycéennes...

Morel avait la voix qui tremblait. Il avait toujours refusé de voir cette affaire sous le bon angle ; c'était une simple question de point de vue. Si on changeait la perspective, alors les éléments se mettaient en place un à un, bien gentiment.

— Putain ! A part Toussainte, qui est professeur de lettres au lycée ?

— Jérôme Joffré. Tu crois que c'est lui l'assassin ?

— J'en sais rien, mais tout a l'air de coller. Tu sais où il habite ?

— Oui.

— On va s'inviter pour le déjeuner, dit le journaliste en regardant sa montre.

26

C'est ce qu'Hélène attendait. D'une pichenette, elle expédia son mégot au visage de Joffré. Il fut stoppé au moment exact où il décollait de son siège. Dans un réflexe, il leva les bras pour se protéger et perdit quelques secondes à rétablir son équilibre. Hélène n'avait qu'à se lever et se tourner pour saisir sur l'étagère l'un des manches en bois.

Joffré regardait le couteau qu'il avait laissé tomber.

— Vous n'êtes qu'un tas de merde, professeur !

Il se baissa pour saisir l'arme. Le bruit du coup qu'elle lui donna se répercuta sur les murs. Il tomba en arrière et demeura assis, les bras le long du corps. Un voile obscurcissait son regard. Il était touché au-dessus de l'arcade sourcilière, près de la tempe.

Hélène ne frappa pas une seconde fois. Elle posa le manche et s'approcha. Une sorte de fibrillation maintenait Joffré dans la même position, puis brusquement il s'écroula.

Un vertige s'empara d'Hélène. Elle ramassa le couteau et coupa les liens qui entravaient ses jambes. Les poignets toujours liés, elle réussit à enlever son tee-shirt et aida Sylvie à le passer.

— C'est fini, dit-elle. Viens, ma chérie.

Elle l'obligea à monter les premières marches. C'est alors qu'elle entendit derrière elle un cri prolongé ; un cri qui exprimait la souffrance, la haine, mais aussi autre chose. Elle sentit son ventre se nouer. Elle poussa Sylvie en avant.

— Vite ! Sauve-toi ! Dans la rue !

Elle se retourna et leurs yeux se rencontrèrent. Joffré s'était relevé. Le sang coulait de sa blessure et il vacillait comme s'il était ivre. Une partie de son maquillage se défaisait. Il avait l'air de ce qu'il était, un monstre à plusieurs visages.

Hélène leva lentement les bras.

— Posez ce couteau, Joffré. Posez ce couteau, répéta-t-elle d'une voix blanche.

Elle vit qu'il ne l'écoutait pas.

— Salope !

Il avança. Un timbre vibrait dans la cuisine On sonnait à la porte ! Joffré aussi avait entendu. Il s'arrêta, regarda Hélène et lâcha le couteau.

— Vous n'avez aucune preuve, connasse, siffla-t-il. Ni pour Desmeuraux, ni pour sa famille, ni pour le notaire ! Tout ce que vous avez, c'est Sylvie. Je ne l'ai pas violée et on m'accordera les circonstances atténuantes.

Des coups résonnaient. On cherchait à enfoncer la porte. Il y eut un cri, un bruit de verre brisé et une voix cria :

— Sylvie ! C'est Fabienne ! On arrive !

Joffré ne tenait plus debout ; ses jambes ne le portaient plus. Il recula et se laissa tomber sur la chaise. Jérôme Joffré, le professeur de lettres, l'admirateur de Poe, avait raison. Il n'y avait aucune preuve contre lui. Dans cinq ans au plus tard, tapi au fond d'une voiture, il épierait sa nouvelle Lénore, sa prochaine Laura. Dans sa poitrine, à une vitesse vertigineuse, Hélène sentit croître la pression d'un étau qui lui écrasait le cœur comme à Shanghai, quand l'inspecteur l'avait laissée seule avec le meurtrier de Zhang Ling.

Elle descendit les marches. Le plastique de la bâche brillait, telle la surface d'un lac, d'un immense lac. Sur l'étagère, parmi les outils, se trouvait une vieille paire de ciseaux de jardinier à poignées de bois.

— Hélène ! Hélène ! Où êtes-vous ?

C'était la voix de Morel. « Il arrive un peu tard à son rendez-vous avec Gorju », songea-t-elle.

— Posez ces ciseaux, criait Joffré. Vous voyez bien que j'ai lâché mon couteau. J'ai besoin d'un médecin. Appelez un médecin !

D'un seul mouvement, sans hésiter, elle lui planta les ciseaux dans la gorge.

27

Six semaines plus tard.

« Tu ne peux pas te tromper, avait dit Hélène à Fabienne. Tu longes le mur de pierre jusqu'au sommet du coteau et tu tournes après le grand mûrier. C'est la bastide avec des volets bleu clair. »

Hélène était à Gordes dans la maison de ses parents partis pour une croisière musicale en Grèce. Elle attendait Fabienne et Morel pour le week-end.

La matinée était chaude. Un vaste paysage de collines s'étendait dans une brume dorée entre les pinèdes et les oliviers.

Elle s'était installée sur la terrasse pour relire *Le Comte de Monte-Cristo*, une autre histoire de vengeance. Elle en était au passage où Edmond Dantès découvre le trésor, quand elle entendit une voiture s'arrêter devant la grille. Elle posa son livre et traversa le jardin.

— Nous t'avons amené une surprise, cria Fabienne dès qu'elle l'aperçut.

Morel lui fit un signe et ouvrit la portière arrière. Une jeune fille en descendit. Elle portait un short, un tee-shirt kaki, et un chapeau de brousse.

— Sylvie ! s'écria Hélène en se précipitant.

Elle la serra dans ses bras, puis s'écarta.

— Fais voir un peu comme tu es belle.

Les yeux de Sylvie, presque lumineux, lui souriaient.

— J'espère que vous avez apporté vos maillots, dit Hélène. Venez, je vais vous montrer vos chambres.

Plus tard, Hélène et Fabienne s'étaient retrouvées autour d'une tasse de café, à l'ombre d'un parasol. Elles entendaient le cliquetis d'une machine à écrire. « Une Olivetti, avait annoncé Morel avec fierté. Une Lettera 22. Elle est plus vieille que moi. »

— Il en est au chapitre trois, dit Fabienne. Je crois qu'il veut que tu lises ce qu'il a écrit.

Hélène enleva ses lunettes de soleil et demanda :

— Comment va-t-elle ?

Sylvie était allongée au bord de la piscine. Elle avait ôté son chapeau. Ses cheveux, très courts, étaient d'un blond presque blanc.

— Ça va, dit Fabienne. Les médecins disent que la désintoxication a des chances de marcher. Elle doit dealer avec sa culpabilité à propos de Laura mais je pense qu'elle y arrivera. Melik a été formidable. C'est lui qui paye la clinique privée où elle fait sa cure ; il a aussi déposé une grosse somme pour elle sur un compte à l'étranger.

— Tu sais où il est ?

— Non. Il m'envoie un e-mail chaque semaine pour que je le tienne informé.

D'un geste spontané, Hélène effleura le bras de Fabienne.

— Je ne te remercierai jamais assez de ce que tu as fait pour moi, là-bas.

Un peu plus tard, Fabienne rompit leur silence :

— Tu sais, avant de découvrir dans quel état était Sylvie, je ne me serais jamais crue capable de ce genre de choses.

Hélène porta son regard vers la garrigue qui s'étendait au-delà du jardin. Elle revoyait la scène, le moment où Fabienne était apparue en haut de l'escalier découvrant Jérôme Joffré qui agonisait sur son siège, et Hélène qui se tenait devant lui, pétrifiée par la vue du sang jaillissant de la blessure.

Elle avait crié :

« Jeff, ne perds pas une seconde, emmène Sylvie à l'hôpital. Je m'occupe d'Hélène. »

Elle avait rejoint Hélène et regardé Jérôme Joffré mourir.

« Je l'ai tué, murmurait Hélène. Il a lâché son couteau et je l'ai tué. »

Au bout de quelques secondes, Fabienne avait secoué la tête. Elle s'était approchée du corps et d'une poussée l'avait fait basculer au sol. Elle avait enlevé son bandana et s'était penchée pour saisir le couteau. Elle avait glissé l'arme dans la main de Joffré en refermant les doigts sur le manche.

« Il se précipitait pour te tuer. Tu t'es défendue, un point c'est tout. J'ai tout vu. »

Sylvie avait plongé dans la piscine. De la main elle leur faisait signe de la rejoindre.

Les deux femmes descendirent les marches de pierre. Les cigales grésillaient éperdument sous le brûlant soleil d'août.

Table des matières

Le Corbeau est mort 9
Le chemin des âmes perdues.. 109
Le théâtre de sang.. 153

Achevé d'imprimer par Rodesa
en novembre 2002
pour le compte de France-Loisirs
Paris

Dépôt légal : novembre 2002
N° éditeur : 37524

Imprimé en Espagne